DEUTSCH ALS FREMDSPRACHE

TANGRAM *aktuell* 1

Lektion 1–4

▶ **Kursbuch +
Arbeitsbuch**

von

Rosa-Maria Dallapiazza

Eduard von Jan

Til Schönherr

unter Mitarbeit von
Jutta Orth-Chambah

Max Hueber Verlag

Beratung:
Ina Alke, Roland Fischer, Franziska Fuchs, Helga Heinicke-Krabbe,
Dieter Maenner, Gary McAllen, Angelika Wohlleben

Phonetische Beratung:
Evelyn Frey

Mitarbeit an der Tangram aktuell-Bearbeitung:
Anja Schümann

Beratung für die Tangram aktuell-Bearbeitung:
Axel Grimpe, Goethe-Institut Tokyo
Andreas Werle, Goethe-Institut Madrid

Unserer besonderer Dank gilt dem MGB, Koordinationsstelle der Migros Klubschulen, Zürich, Schweiz
für die freundliche Überlassung einzelner Teile aus Lingua 21, der Klubschuladaption von Tangram,
insbesondere von Inhalten aus dem Referenzbuch.

| 6. | 5. | 4. | | Die letzten Ziffern |
| 2010 | 09 | 08 | 07 | 06 | bezeichnen Zahl und Jahr des Druckes. |

Alle Drucke dieser Auflage können, da unverändert,
nebeneinander benutzt werden.
1. Auflage
© 2004 Max Hueber Verlag, 85737 Ismaning, Deutschland
Zeichnungen: LYONN
Verlagsredaktion: Silke Hilpert, Werner Bönzli, Daniela Wagner
Produktmanagement: Astrid Hansen
Gesamtherstellung: Ludwig Auer GmbH, Donauwörth
Printed in Germany
ISBN 3–19–001801–4

Vorwort

Liebe Leserin, lieber Leser,

die Unterrichtspraxis hat gezeigt, dass Lernende mit Tangram sehr schnell in der Lage sind, die neue Sprache aktiv und kreativ anzuwenden. Dies freut uns ganz besonders, haben wir doch damit wesentliche Ziele des Gemeinsamen Europäischen Referenzrahmens erreicht: kommunikative Kompetenz und sprachliche Handlungsfähigkeit der Sprachlernenden.

➞ Was ist neu an TANGRAM aktuell ?

Im Hinblick auf die im Referenzrahmen beschriebenen Kompetenzniveaus erscheint
TANGRAM aktuell nun in **sechs Bänden**:
Je zwei kurze Bände führen zu den Niveaus A1, A2 und B1. Jede Niveaustufe wird mit einer intensiven Vorbereitung auf die Prüfungen *Start Deutsch 1* und *2* bzw. das *Zertifikat Deutsch* abgeschlossen.
Erfahrungen aus dem Unterricht wurden in TANGRAM aktuell aufgegriffen und umgesetzt.

Dabei bleibt das bewährte Konzept im **Kursbuch** erhalten:

- Authentische Hör- und Lesetexte sowie vielfältige Übungen orientieren sich an **lebendiger und authentischer Alltagssprache** und fordern zur kreativen Auseinandersetzung mit den Inhalten heraus.
- Neue Strukturen werden nach dem **Prinzip der gelenkten Selbstentdeckung** herausgearbeitet: Mittels einer induktiven und kleinschrittigen Grammatikarbeit werden die Lernenden dazu befähigt, sprachliche Strukturen und Gesetzmäßigkeiten zu reflektieren und selbst zu erschließen.
- Die **phonetische Kompetenz** der Lernenden wird durch eine Mischung imitativer, kognitiver und kommunikativer Elemente von Anfang an aufgebaut.
- **Lieder, Raps** und **Reime** trainieren Aussprache und Intonation auf kreativ-spielerische Weise.

Das **Arbeitsbuch** präsentiert sich mit neuem Konzept:

- Zahlreiche Struktur- und Wortschatzübungen sowie viele kommunikativ-kreative Aufgaben bilden ein breites Spektrum. Im Vordergrund steht dabei das selbstständige Arbeiten zu Hause.
- Die Lernenden können Hörverstehen und Phonetik eigenständig trainieren, da die Audio-CD ins Buch integriert ist.
- Selbsttests geben den Lernenden die Möglichkeit zur selbstständigen Lernkontrolle.
- In jeder Lektion können die Lernenden ihren Lernfortschritt nach den „Kann-Beschreibungen" des Referenzrahmens (selbst) evaluieren.
- Der komplette Lernwortschatz zu den einzelnen Lektionen und den Prüfungen erleichtert ein gezieltes Vokabeltraining.

Wir hoffen, dass es uns gelungen ist, mit TANGRAM aktuell weiterhin das Lehren und Lernen der deutschen Sprache zu einem interessanten, bunten und erfolgreichen Erlebnis zu machen, und Sie beim Erreichen der einzelnen Niveaustufen optimal zu unterstützen.

Autoren und Verlag

Inhalt Kursbuch

Inhalt Arbeitsbuch

Anhang

Piktogramme

 Text auf Kassette und CD mit Haltepunkt

 Schreiben

 Wörterbuch

 Hinweis auf das Arbeitsbuch

Hinweis auf das Kursbuch

 Regel

§ 2   Hinweis auf Grammatikanhang

Hallo! Wie geht's ?

A **Willkommen!**

A 1 **Hören und sprechen Sie.**

● *Guten <u>Mor</u>gen.* ↘
  ■ *Guten <u>Tag</u>.* ↘

● *Guten Tag,→ Frau <u>Bau</u>er.* ↘
  ■ *Guten <u>Tag</u>,→ Frau Yoshi<u>mo</u>to.* ↘
    Wie <u>geht</u> es Ihnen? ↘
● *<u>Dan</u>ke,↘ <u>gut</u>.↘ Und <u>Ih</u>nen?* ↗
  ■ *<u>Auch</u> gut,↘ <u>dan</u>ke.* ↘

● *Hallo, <u>Ni</u>kos!* ↘
  ■ *Hallo, <u>Li</u>sa!↘ Hallo, <u>Pe</u>ter!* ↘
    ● *Wie geht's?* ↗
  ■ *<u>Dan</u>ke,↘ <u>gut</u>.* ↘

A 2 Hören und markieren Sie.

A

B

C

Dialog eins ist Bild ...

Dialog	1 (eins)	2 (zwei)	3 (drei)
Bild			

A 3 Ergänzen Sie die Dialoge. Dann hören Sie noch einmal und vergleichen Sie.

Danke, gut ◆ Danke, gut ◆ Guten Morgen ◆ Guten Tag ◆ Guten Tag ◆ ~~Hallo~~ ◆
Hallo ◆ hallo ◆ Und Ihnen ◆ Wie geht es Ihnen ◆ wie geht's

1 ● *Hallo_____ , Nikos!*

   ■ *_____ , Lisa, _____ , Peter!*

   ▲ *Na, _____ , Nikos?*

   ■ *_____ .*

2 ● *_____ .*

   ■ *_____ , Ihren Pass bitte!*

3 ● *_____ . Mein Name ist Yoshimoto.*

   Sind Sie Frau Bauer?

   ■ *Ja. Willkommen in Deutschland, Frau Yoshimoto!*

   _____ ?

   ● *_____ . _____ ?*

   ■ *Auch gut, danke.*

Lesen und spielen Sie die Dialoge.

B Und wie ist Ihr Name?

B 1 **Hören und sprechen Sie.**

Guten Tag. Ich bin Karin Beckmann,
von „Globe-Tours". Und wie heißen Sie?

Mein Name ist Max Weininger.

Ich heiße Veronika Winter.

Hallo, ich bin Eva.
Und wie heißt du?

Und wie ist Ihr Name?

Werner Raab.

Tobias. Und du?

Ich heiße Daniel.

B 2 **Was sagen die Leute? Ordnen Sie die Fragen und Antworten.**

Frau Beckmann sagt und fragt:

Die Touristen antworten:

Guten Tag.

Ich bin Karin Beckmann, von „Globe-Tours".

Und wie heißen Sie?

_____ .

_____ ? _____ .

_____ .

Eva sagt und fragt:

Tobias antwortet und fragt:

Daniel antwortet:

Hallo, ich bin Eva _____ .

Und wie _____ ? _____ . _____ ? _____ .

 Hören Sie noch einmal und markieren Sie die Akzente.

Vorname	Familienname/Nachname
Karin	*Beckmann*
Werner	*Raab*
Eva	*...*

Machen Sie das Puzzle. Was passt zusammen?

1
◆ Hallo, ich bin Eva. Und wie heißt du?
★ Tobias. Und du?
❖ Ich heiße Daniel.

▲ Ja. Und Sie sind Herr ...?
● Mein Name ist ...

▲ Entschuldigung, wie ist Ihr Name?
● Spät ist mein Name, Udo Spät.
▲ Ah ja, Herr Spät. Jetzt sind alle da.
  Kommen Sie bitte zum Check-In.

● Entschuldigen Sie, ich suche „Globe-Tours".
◆ Da sind Sie hier richtig.
  Da ist Frau Beckmann von „Globe-Tours".
● Entschuldigung, sind Sie Frau Beckmann?

 Hören und vergleichen Sie.

B 4 **Ergänzen Sie.**

formell + höflich: „per Sie"

Familie, Freunde und Kinder: „per du"

● Ich heiße Beckmann. Und wie ist _____ Name?
■ Raab.
    ● Wie heißen _____ ?
    ■ Veronika Winter.
● Sind _____ Herr Weininger?
■ Nein, mein Name ist Spät.

● Ich bin Eva. Und wie heißt _____ ?
■ Tobias. Und _____ ?
▼ Ich heiße Daniel.

B 5 **Markieren Sie die Verben „sein" und „heißen".**

ARBEITSBUC 5–6

Wie	(heißen)	Sie?		Mein Name	ist	Max Weininger.
Wie	ist	Ihr Name?		Ich	heiße	Daniel Kistler.
Wie	heißt	du?		Ich	heiße	Udo.

Die W-Frage			Die Aussage (Antwort)		
Position:	1	2	Position:	1	2
	Wie heißen Sie ?			Mein Name ist Max Weininger.	

! W-Fragen und Aussagen: Das **Verb** steht auf Position _____ .

ARBEITSBUC 7–8

Jetzt stellen Sie sich vor.

C Woher kommen Sie?

C 1 Sortieren und ergänzen Sie.

Nordamerika	Südamerika	Europa	Afrika	Asien	Australien
Kanada	Brasilien	Polen	Namibia	Japan	Australien

Argentinien ◆ ~~Australien~~ ◆ ~~Brasilien~~ ◆ Chile ◆ China ◆ Indien ◆ Indonesien ◆ Italien ◆ ~~Japan~~ ◆ ~~Kanada~~ ◆ Kenia ◆ Marokko ◆ ~~Namibia~~ ◆ Neuseeland ◆ die Niederlande ◆ Österreich ◆ ~~Polen~~ ◆ die Schweiz ◆ die Türkei ◆ die USA ◆ Vietnam ◆ ...

C 2 Üben Sie im Kurs.

Yvette. Woher kommst du?

Ich komme aus der Schweiz. – Frau Waniak. Woher kommen Sie?

Ich komme aus Polen. Und Sie?

Aus den USA. – Und du, Pawel? Woher kommst du?

Woher kommen Sie?

Ich komme ...
  aus Österreich
  aus Neuseeland
  aus ...

Aber: Ich komme ...
  aus der Türkei
  aus der Schweiz
  aus den Niederlanden
  aus den USA

● *Woher kommen Sie?* ↘
   ■ *Ich komme aus ...* ↘ *Und Sie?* ↗
● *Aus ...* ↘

● *Woher kommst du?* ↘
   ■ *Ich komme aus ...* ↘ *Und du?* ↗
● *Aus ...* ↘

C 3 Lesen Sie den Zettel. Schreiben Sie auch einen Zettel.

Europa
Deutschland
Brühl
Steffi
Graf

Jeder Teilnehmer hat einen Zettel. Fragen und antworten Sie:

● *Kommen Sie aus Europa?* ↗ ■ *Ja.* ↘
● *Kommen Sie aus Österreich?* ↗ ■ *Nein.* ↘
● *Kommen Sie aus Deutschland?* ↗ ■ *Ja.* ↘
● *Sind Sie Frau Graf?* ↗ ■ *Ja.* ↘ *Ich heiße Stefanie Graf* → *und komme aus Brühl.* ↘

1

<u>Juan Fuentes</u> ist <u>Spanier</u>.
Er ist Friseur, lebt schon
acht Jahre <u>in Deutschland</u>
und arbeitet seit drei Jahren
beim Airport-Friseur.

2

Rainer Schnell ist seit drei
Jahren Pilot eines Airbus 320
der Lufthansa. Er ist viel
unterwegs und hat wenig Zeit
für seine Familie in Hamburg.

3

Luisa Elío kommt aus Mexiko.
Seit sie in Deutschland lebt,
arbeitet sie als Kellnerin im
Flughafen-Café.

4

Maria Jablońska (Ärztin)
kommt aus Polen, aus
Warschau. Sie lebt schon seit
1987 in Deutschland und
arbeitet heute auf dem
Frankfurter Flughafen.

5

Martina Schmittinger ist seit
sechs Jahren Flugbegleiterin
bei der Lufthansa und wohnt
in der Nähe von Frankfurt.
Sie liebt ihren Beruf und fliegt
am liebsten nach Asien.

6

Antonio Manzoni kommt
aus Italien. Er arbeitet
schon seit 1979 als Fahrer
für die Flughafen AG.

Ergänzen Sie die Tabelle.

	♀ *Wie heißt sie?* ♂ *Wie heißt er?*		♀ *Woher kommt sie?* ♂ *Woher kommt er?*	♀ *Was ist sie von Beruf?* ♂ *Was ist er von Beruf?*
	Vorname	(Familien-)Name	Land (Stadt)	Beruf
1	*Juan*		*Spanien*	*Friseur*
2				
3				
4				
5				
6				

● *Wie heißt sie?*
■ *Sie heißt Maria Jablońska.*

● *Woher kommt sie?*
■ *Sie kommt aus ...*

● *Und was ist sie von Beruf?*
■ *Sie ist Ärztin.*

● *Wie heißt er?*
■ *Er heißt ...*

● *Woher kommt ...*
■ *Er ...*

● *... ?*
■ *...*

C 6 **Ergänzen Sie die Berufe.**

die ...-in	der ...
die Ärztin	der Arzt
	der Pilot
die Kellnerin	
	der Ingenieur
	der Friseur
die Flugbegleiterin	
	der Fahrer
die Lehrerin	

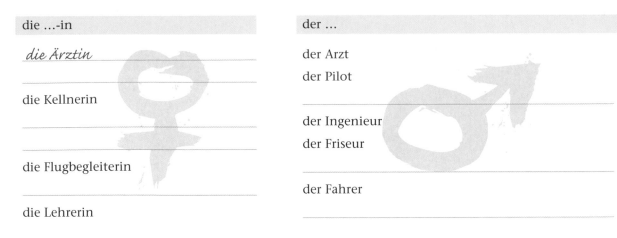

C 7 **Was sind Sie von Beruf?**

Was bist du von Beruf, Francis?

Ich bin ... Moment ...

● *Ich bin Lehrerin. Und Sie?*
  Was sind Sie von Beruf?
■ *Ich bin Flugbegleiter.*
● *Wie bitte?*
■ *Flugbegleiter.*

■ *Was bist du von Beruf?*
● *Ich bin Friseur. Und du? Was ...?*
■ *...*

ARBEITSBUCH 11–13

C 8 **Ergänzen Sie die Verben.**

heiße, heißt, heißt, heißen	komme, kommst, kommt, kommen	bin, bist, ist, sind
Ich ⟨ *heiße* ⟩ Beckmann.	Ich ⟨ ⟩ aus Deutschland.	Ich ⟨ ⟩ Reiseleiterin.
Und du? Wie ⟨ ⟩ du?	Woher ⟨ ⟩ du?	Und was ⟨ ⟩ du von Beruf?
Er ⟨ ⟩ Manzoni.	Er ⟨ ⟩ aus Italien.	Er ⟨ ⟩ Fahrer.
Sie ⟨ ⟩ Luisa Elío.	Sie ⟨ ⟩ aus Mexiko.	Sie ⟨ ⟩ Kellnerin.
Und Sie? Wie ⟨ ⟩ Sie?	Woher ⟨ ⟩ Sie?	Und was ⟨ ⟩ Sie von Beruf?

Ergänzen Sie die Fragen und Antworten.

Beispiel:

Woher kommen Sie?

Aus **Italien**.

Kommen Sie aus Italien?

Nein, ich komme aus Spanien.

1   Wie geht es Ihnen _____? 　　Gut, danke.

　　Geht es Ihnen gut? 　　　　　　　　_____.

2   Was sind Sie von Beruf? 　　　　　　Ich bin Ärztin.

　　_____? 　　　　　　　　　　Ja.

3   _____? 　　　　　　　　　　Mein Name ist Bauer.

　　Sind Sie Herr Weininger? 　　　　　　Nein,_____.

Markieren Sie die Verben.

Sortieren Sie die Fragen aus C 9 und ergänzen Sie die Regeln.

W-Frage:

Position:　　1　　　2　　　…

　　　　　Woher kommen Sie?

1   Wie geht es Ihnen? _____

2   _____

3   _____

Ja/Nein-Frage:

Position:　　1　　　2　　　…

　　　　Kommen Sie   aus Italien?

_____

_____

_____

! **W-Frage:**

Das Verb steht auf Position _____ .

Ja/Nein-Frage:

Das Verb steht auf Position _____ .
Die Antwort ist „_____" oder „_____".

Fragen und antworten Sie.

Sind Sie Taxifahrer? 　　Bist du Ingenieurin? 　　Ich heiße Eva. Und du? 　　Sind Sie Herr Spät?

Kommen Sie aus Japan? 　　Wie geht es Ihnen? 　　Woher kommst du? 　　Was sind Sie von Beruf?

D Zahlen

D 1 Hören und sprechen Sie.

5

10 = zehn
9 = neun
8 = acht
7 = sieben
6 = sechs
5 = fünf
4 = vier
3 = drei
2 = zwei
1 = eins
0 = null ...

...Prost Neujahr!

...Prost Neujahr!

...Prost Neujahr!

...Prost Neujahr!

...Prost Neujahr!

...Prost Neujahr!

D 2 Was ist richtig? Hören und markieren Sie.

6

1 Brüssel: Flug Nummer
☐ 476 ☐ 467

2 New York: Flug Nummer
☐ 342 ☐ 432

3 Lufthansa-Information: Telefon
☐ 225226 ☐ 255266

4 Aerolineas Argentinas: Telefon
☐ 6903781 ☐ 6093481

Fragen und antworten Sie.

● Wie ist Ihre Telefonnummer?
☐ ...

● Wie ist deine Telefonnummer?
☐ ...

ARBEITSBUCH
17

D 3 Ergänzen Sie die Zahlen.

11 = **elf**
12 = **zwölf**
13 = drei**zehn**
14 = _____zehn
15 = _____
16 = **sechzehn**
17 = **siebzehn**
18 = _____

19 = _____
20 = **zwanzig**
21 = **einundzwanzig**
22 = zwei**undzwanzig**
23 = _____
30 = **dreißig**
35 = _____
40 = **vierzig**

50 = **fünfzig**
56 = _____
60 = **sechzig**
67 = _____
70 = **siebzig**
80 = _____
90 = _____
100 = **(ein)hundert**

7
Hören und vergleichen Sie.

D 4 Was passt wo? Hören und markieren Sie.

8

	●	●● ●●●●	●●●●
11	X	☐	☐
12	☐	☐	☐
13	☐	☐	☐
30	☐	☐	☐

	●	●● ●●●●	●●●●
35	☐	☐	☐
39	☐	☐	☐
14	☐	X	☐
40	☐	☐	☐

	●	●● ●●●●	●●●●
44	☐	☐	☐
70	☐	☐	☐
98	☐	☐	☐
100	☐	☐	☐

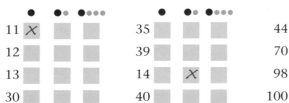

elf = ●

fünfzehn = ●●

einundzwanzig = ●●●●

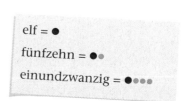

ARBEITSBUCH
18–19

D 5 Was ist richtig? Hören und markieren Sie.

1. Die Adresse ist: Feuerbachstraße
   ☐ 2 6   ☐ 3 6

2. Die Frau fliegt nach Brüssel von Flugsteig
   ☐ A 2 1   ☐ A 1 2

3. Der Mann hat Platz
   ☐ D 4   ☐ D 1 4

4. Die Mini-Tour dauert
   ☐ 4 5 Minuten   ☐ 9 0 Minuten

5. Der Flug nach Genf hat die Nummer
   ☐ 5 4 2 8   ☐ 4 5 8 2

6. Der Flugsteig hat die Nummer
   ☐ B 4 7   ☐ B 5 7

ARBEITSBU
20–21

E Zwischen den Zeilen

E 1 Was sagt man (✓), was sagt man nicht (—)? Markieren Sie bitte.

✓ Mein Name ist Beckmann.
— Mein Name ist Karin.
☐ Mein Name ist Karin Beckmann.
☐ Ich bin Karin.
☐ Ich bin Beckmann.
☐ Ich bin Frau Beckmann.
☐ Ich bin Karin Beckmann.

☐ Ich heiße Frau Beckmann.
☐ Ich heiße Beckmann.
☐ Ich heiße Karin.
☐ Ich heiße Karin Beckmann.
☐ Entschuldigung, sind Sie Frau Beckmann?
☐ Entschuldigung, sind Sie Frau Karin?
☐ Entschuldigung, sind Sie Karin Beckmann?

Hören und vergleichen Sie.

E 2 Ergänzen Sie bitte.

Frau Beckmann ◆ Karin *(Vorname)* ◆ Beckmann *(Familienname)* ◆ Karin Beckmann

„Mein Name ist ... "   *Beckmann*   oder   *Karin Beckmann*

„Ich bin ... "   _____   oder   _____   oder   _____

„Ich heiße ... "   _____   oder   _____   oder   _____

„Entschuldigung, sind Sie ... ?"   _____   oder   _____

E 3 Sie sind Karin Beckmann. Ergänzen Sie die Fragen und Antworten.

1. _____ Sie?   Mein Name ist *Karin Beckmann.* _____

2. _____ Ihr Name, bitte?   Ich heiße _____

3. _____ Frau Berger?   _____, mein Name ist _____

4. _____ du?   Ich bin _____

5. Hallo! _____ Franz. Und du?   Ich heiße _____

ARBEITSB
22–2

F Der Ton macht die Musik

Der „Tag, wie geht's"-Rap

1
● Tag.
● Guten Tag!
● Wie geht's?
● Wie geht es Ihnen?

● Auch gut, danke. Danke, gut.
● Auch gut, danke. Danke, gut.
● Auch gut, danke. Danke, gut.
● Na ja, es geht.

■ Tag?
■ Oh, „Tag"! Guten Tag!
■ Wie geht's? Wie geht's?
■ Ah ..., „Wie geht es Ihnen?" –
■ Gut, danke, gut. Und Ihnen?
■ Wie geht es Ihnen?

■ Sehr gut?

2
● Guten Tag!
● Wie heißt du?
● Wie ist Ihr Name?
● Yota?

● Ich heiße Miller.
● Nein, Miller ist mein Name. Miller!
● Nein, Miller ist mein Name. Miller!
● Nein, Miller ist mein Name.
● Genau!

■ Tag.
■ Heißt du?
■ Ah ..., ich heiße Yota.
■ Yota ist mein Name. Und Sie?
■ Wie heißen Sie?
■ Muller?
■ Meller?
■ Müller?
■ Miller?

3
● Hallo!
● Aus Australien.
● Aus Australien! Und du?
● Woher kommst denn du?
● Japan?
● Du kommst, du kommst ...

● ... aus Australien. – Du kommst,
● du kommst ...

■ Hallo!
■ Woher kommst du?
■ Aus Aus ... wie?
■ Ich?
■ Aus Japan.
■ Ja, Japan!
■ ... aus Japan. – Du kommst,
■ du kommst ...
■ ...

Hören und sprechen Sie mit.
Wählen Sie eine Strophe oder den Refrain und üben Sie zu zweit.

ARBEITSBUCH 24–27

G Deutsche Wörter – deutsche Wörter?

G 1 Üben Sie zu zweit den Wortakzent in Sprachen.

Arabisch ◆ Chinesisch ◆ Englisch ◆ Französisch ◆ Griechisch ◆ Indonesisch ◆
Italienisch ◆ Japanisch ◆ Polnisch ◆ Portugiesisch ◆ Suaheli ◆ Spanisch ◆
Türkisch ◆ Vietnamesisch ◆ …

● Ich komme aus … Ich spreche … und etwas Deutsch.
Und du? / Und Sie?
■ …

Ich spreche etwas Deutsch.

> ! Fast alle Sprachen enden auf _____ .   Der Akzent ist ☐ ⦁⦁⦁ ☐ ⦁⦁⦁

G 2 Welche Wörter kennen Sie? Unterstreichen Sie.

Algebra *(f)* ◆ Computer *(m)* ◆ Foto *(n)* ◆ Gitarre *(f)* ◆ Information *(f)* ◆ Joghurt *(m)* ◆
Judo *(n)* ◆ Kaffee *(m)* ◆ Kiosk *(m)* ◆ Pilot *(m)* ◆ Radio *(n)* ◆ Risiko *(n)* ◆
Samowar *(m)* ◆ Schokolade *(f)* ◆ Sofa *(n)* ◆ Tango *(m)* ◆ Tee *(m)* ◆ Zigarette *(f)*

G 3 Wie heißt das Wort in Ihrer Sprache?

● „Kaffee" heißt auf Arabisch …   ▲ Auf Türkisch heißt es …   ● …
■ Auf Englisch heißt es …   ▼ Und auf Französisch …   ■ …

G 4 Sortieren Sie die Wörter aus G 2.

Die Artikel:	*f* = feminin → die	*m* = maskulin → der	*n* = neutrum → das
	die Gitarre	*der Computer*	*das Foto*

Lerntipp:

Diese Wörter sind **Nomen.** Nomen schreibt man im Deutschen immer groß (das Foto). Lernen Sie **Nomen** immer **mit Artikel.** Also: Foto → **das** Foto. Die Artikel stehen in Ihrem Wörterbuch und im Lernwortschatz im Arbeitsbuch.

die **Gitar|re** [gi'tarə]; -, -n: *Musikinstrument mit flachem Körper und langem Hals mit sechs Saiten*: sie begleitet sich selbst auf der Gitarre.

die Gitarre

e **Gitarre, -/-n** chitarǎ; ~ *spielen* a cînta chitarǎ
r **Gitarrenspieler, -s/-** chitarist

Gi'tar·re *(f)* sechssaitiges Zupfinstrument mit achtförmigem Körper; Sy Klampfe, Zupfgeige [<span. *guitarra* <arab. *kittara,* grch. *kithara;* → Zither]
Gi·tar'rist *(m)* Gitarrenspieler

H Woher und wohin?

Hören und markieren Sie.

1 Es sprechen:

☐ 2 Personen

☐ 3 Personen

☐ 4 Personen

2 Die Personen sind:

☐ Anna

☐ Mama

☐ Papa

☐ Kawena

3 Wo sind die Personen?

☐ Hamburg

☐ Windhuk

☐ München

☐ Frankfurt

	Namibia	Deutschland	Windhuk	Hamburg	München
Anna kommt aus	☐	☐	☐	☐	☐
und möchte nach	☐	☐	☐	☐	☐
Kawena kommt aus	☐	☐	☐	☐	☐
und möchte nach	☐	☐	☐	☐	☐

ARBEITSBUCH 31–32

Was sagen die Leute? Üben Sie zu zweit.

Wie ...

Woher ...

Wohin ...

Was ...

Guten Abend. ...

Kurz & bündig

W-Fragen §25

Wie ist Ihr Name?
Wie heißen Sie?
Wie heißt du?
Wie heißt sie?

Woher kommen Sie?
Woher kommst du?

Wohin möchten Sie?

Was sind Sie von Beruf?
Was bist du von Beruf?

Antworten §24

Ich heiße Veronika Winter.
Mein Name ist Weininger.
Eva.
Sie heißt Maria Jablońska.

Ich komme **aus** Kanada.
Aus Namibia.

Nach Hamburg.

Ich bin Ärztin.
Friseur.

Ja/Nein-Fragen §25

Kommen Sie aus Italien? ↗
Entschuldigung, **sind Sie** Herr Spät? ↗
Sind Sie Ärztin? ↗

Antworten

Ja, → ich komme aus Rom. ↘
Nein, → mein Name ist Raab. ↘
Ja. ↘

Die Zahlen 1–100 §20

null, eins, zwei, drei, vier, fünf, sechs, sieben, acht, neun, zehn, **elf**, **zwölf**, drei**zehn**, vier**zehn**, fünf**zehn**, sech**zehn**, sieb**zehn**, … **zwanzig**, **einundzwanzig**, … **dreißig**, … vier**zig**, achtund**vierzig**, … fünf**zig**, … sech**zig**, … sieb**zig**, … acht**zig**, … drei**und**acht**zig**, … neun**zig**, … sieben**und**neun**zig**, … **(ein)hundert**

Die Artikel §10

die Ärztin	**der** Arzt	**das** Foto
die Telefonnummer	**der** Kaffee	**das** Radio

Das Land   Die Sprache §23/1.

Das Land	Die Sprache
England	**Englisch**
Italien	**Italienisch**
Polen	**Polnisch**

Nützliche Ausdrücke

Wie geht es Ihnen?
Auch gut, danke.
Wie geht's?

Danke, gut. Und Ihnen?

Gut, danke. / Na ja, es geht.

Woher kommen Sie?
Kommst du aus Polen?
Ich komme aus Australien.
Aus Australien.
Genau.

Aus Kanada. Und Sie?
Ja. **Und du?** Woher kommst du?
Wie bitte?
Ah …, aus Australien.

Entschuldigung, sind Sie Frau Beckmann?   Ja.
Entschuldigen Sie, ich suche „Globe-Tours".

Ich spreche Englisch, Spanisch und etwas Deutsch. ↘
„Kaffee" **heißt auf Englisch** „coffee". ↘

Hallo!	**Tschüs!**
Guten Morgen. (≈ 6–11 Uhr)	**Auf Wiedersehen!**
Guten Tag. (≈ 9–18 Uhr)	
Guten Abend. (≈ 17–23 Uhr)	

Auf Wiedersehen!

Tschüs!

Begegnungen

ANMELDUNG einer

Ausfertigung für die **Meldebehörde**

☐ einzigen Wohnung oder Hauptwohnung
☐ Nebenwohnung

☐ Abmeldung lag vor
☐ Einzelmeldeschein

☐ Beiblatt ist beigefügt
☐ Meldescheine für ... Personen

für den/die Anmelder(n)   Nr. ___
für das Kind/ die Kinder   Nr. ___ für ___

Tagesstempel der Meldebehörde   Lfd.-Nr.

Bitte deutlich schreiben und fest aufdrücken. Sie benötigen kein Kohlepapier.
Stark umrandete Felder werden von der Meldebehörde ausgefüllt.

1 Angaben zur Person

1.1 Familienname   *Haufika*   1.3 Geburtsname

1.2 Vornamen (gebräuchlichen Vornamen bitte unterstreichen)   *Kawena*

1.4 Geburtsdatum   Tag Monat Jahr   1.5 Geburtsort (wenn Ausland, bitte auch Staat angeben)

1.6 Geschlecht   ☐ männlich ☐ weiblich   1.7 Familienstand   ☐ ledig ☐ verheiratet ☐ verwitwet ☐ geschieden seit   Tag Monat Jahr

1.8 Anzahl der Kinder: 1.9 Staatsangehörigkeit(en)   Schlüssel

die Wohnung war bisher | wird die Wohnung beibehalten? | die Wohnung - soll sein - soll bleiben   ◄ HW = Hauptwohnung NW = Nebenwohnung

PLZ, Gemeinde, ggf. Ortsteile   Gemeindeschlüssel

Straße, Hausnummer, Adressierungszusätze   HW NW nein ja HW NW

München   **X**

2 Neue Wohnung   Einzug am   Tag Monat Jahr

3 Bisherige Wohnung   Zuzug von bisheriger oder weiter bestehender Hauptwohnung (falls Zuzug aus dem Ausland, genügt Angabe des Staates)

4 Weitere Wohnungen im Inland

ausgestellt am   Tag Monat Jahr

5 Ausweise   Ausstellungsbehörde

5.1 Personalausweis   Nr.

5.2 Art der Pässe   Nr.   Nr.

6.2 Vom Ehegatten dauernd getrennt lebend   ☐ nein ☐ ja

6 Lohnsteuermerkmale   6.1 erwerbstätig   ☐ nein ☐ ja   6.4 Zahl der beantragten weiteren LStK (StKl VI)

6.3 Person unter Nr. 1 Lohnsteuerkartenempfänger   ☐ nein ☐ ja Steuerklasse   6.6 Zahl der beantragten weiteren LStK (StKl VI)

6.5 Ehegatte   Lohnsteuerkartenempfänger   ☐ nein ☐ ja Steuerklasse

7 Dezember Wohnsitz am 1. September 1939 (nur bei Flüchtlingen und Vertriebenen)

Die Familienangehörige und gesetzliche Vertreter, die nicht für die neue Wohnung angemeldet werden: bitte Rückseite dieses Blattes ausfüllen!

Ludwig-Landmann-Str. 252

R. Beckmann
M. + P. Meier
S. Hilpert
Nikos Palikaris
Fröhlich
Ernst Sauer
C. Nolte-Thiedemann
W. Lustig

Beckmann, Karin Holsten 127   46 74 83
Beckstein, Karl Nedderfeld 82   35 89 21
Becktal, Karin Ilendorp 17   48 13 62

■■■**BECKTROG**■■■
Küchencenter Hamburg
Einbauküchen
Hotelküchen

Vera Barbosa

TransFair Internationale Spedition G...
Remigiusstr. 21, D-50937 Köln, Tel. 02...

merk & sulzer

Herbert Weyer
Ingenieur

Merk & Sulzer AG
Angerstraße 15–21
D-85051 Ingolstadt
Tel. 08 41 / 12 85-267
Fax 08 41 / 12 85-226

Privat:
Kornstraße 17
D-85077 Manching
Tel. 0 84 59 / 4 92 98

A Leute, Leute.

A 1 Fragen und antworten Sie.

● *Wo wohnt Karin Beckmann?*
  ■ *In Hamburg.*
● *Wo ist „TransFair"?*
  ■ *... ist in ... (Stadt oder Land).*
● *Wo arbeitet Vera Barbosa?*
  ■ *Bei ... (Firma).*
● *Wie ist die Telefonnummer von ... ?*
  (Name/Firma)
  ■ *Ich weiß nicht.*
● *Wie ist die Adresse von ... ?*
  ■ *...*

Ergänzen Sie.

100	ein**hundert**
101	ein**hundert**eins
110	_____
226	*zweihundertsechsundzwanzig*
354	_____
512	_____
717	_____
999	_____

ARBEITSBUCH
1–3

A 2 Hören Sie und ergänzen Sie die Telefonnummern.

13-16

Name	Telefon
Karin Beckmann	
Meldestelle München	

Name	Telefon
Nikos Palikaris	
Vera Barbosa	

A 3   **Hören Sie das Alphabet-Lied und singen Sie mit.**

17

A – Be – Ce – De –
E – eF – Ge – Ha –
I – Jot – Ka – Wunderbar!

eL – eM – eN – O – Pe – Qu –
eR – eS – Te – U – Vau – We –
iX- Ypsilon – Zet – Das ist nett.

A 4   **Buchstabieren Sie Ihren Namen.**

Bei ähnlichen Buchstaben hilft Ihnen das „Telefon-Alphabet".

A wie **A**nton   oder   **H** wie **H**einrich
B wie **B**erta   oder   **P** wie **P**aula
C wie **C**äsar   oder   **Z** wie **Z**eppelin
D wie **D**ora   oder   **T** wie **T**heodor
E wie **E**mil   oder   **Ä** wie **Ä**rger

G wie **G**ustav   oder   **K** wie **K**aufmann
I wie **I**da   oder   **Ü** wie **Ü**bermut
M wie **M**artha   oder   **N** wie **N**ordpol
R wie **R**ichard   oder   **L** wie **L**udwig
V wie **V**iktor   oder   **W** wie **W**ilhelm

> Ä, Ö, Ü = „A-Umlaut", …
> ß = „Eszet", „scharfes s"
> pp = „Doppel-p", „zweimal p"

A 5   **Hören Sie und schreiben Sie die Namen.**

18

Dialog 1 _____
Dialog 2 _____
Dialog 3 _____

A 6   **Machen Sie eine Kursliste.**

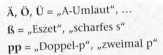

● *Wie heißt du? / Wie heißen Sie?*
  ■ *Wie ist deine / Ihre Telefonnummer?*
● *Wie ist deine / Ihre Adresse?*
  ■ *Bitte noch einmal. / Bitte langsam.*
● *Wie bitte? Buchstabieren Sie bitte.*
  … – wie schreibt man das?

A 7   **Spielen Sie „Auskunft".**

● *Ich möchte die Nummer von Felipe Rodríguez.*
  ■ *Felipe Rodríguez? Die Nummer ist 28 81 749.*
● *288 17 49. Vielen Dank.*

B Ledig, keine Kinder

A

B

C

D

Yoko Yoshimoto

Nikos Palikaris

B 1 **Wer ist wo? Raten Sie.**

zu Besuch bei … ◆
auf der Meldestelle ◆ am Flughafen ◆
zu Hause ◆ an der Wohnungstür

● *Ich glaube, Nikos ist zu Hause.*
■ *Vielleicht ist er ja auch zu Besuch bei …*
▲ *Ich glaube nicht. Ich glaube, er ist …*

B 2 **Wie sind die Leute? Hören und markieren Sie.**

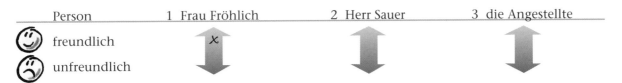

| Person | 1 Frau Fröhlich | 2 Herr Sauer | 3 die Angestellte |

🙂 freundlich

🙁 unfreundlich

B 3 **Hören Sie noch einmal und ergänzen Sie die Tabelle.**

Dialog	Wer ist das?	Wo sind die Leute?
1	*Nikos Palikaris, Frau Fröhlich*	*an der Wohnungstür*
2		
3		

B 4 **Sprechen Sie über die Leute.**

Nikos Palikaris ◆ Yoko Yoshimoto ◆ Frau Fröhlich ◆ Herr Sauer ◆ die Nachbarin ◆
der Nachbar ◆ die Angestellte

ist an der Wohnungstür   auf der Meldestelle
begrüßt den Nachbarn / die Nachbarin
schreibt den Namen / die Adresse von …
lädt … zum Kaffeetrinken ein   hilft … mit dem Formular   heißt …

● *Nikos Palikaris ist an der Wohnungstür und begrüßt die Nachbarin.*
■ *Die Nachbarin heißt Fröhlich.*
▲ *Sie lädt Nikos zum …*

Hören Sie und ergänzen Sie das Formular.

~~Kawena~~ ◆ ~~Haufiku~~ ◆ Schleißheimer Str. 297 ◆ 80809 ◆ Windhuk ◆
Namibia ◆ britisch ◆ 21.03.1969 ◆ namibisch

ANMELDUNG
einer
☐ einzigen Wohnung oder Hauptwohnung
☐ Nebenwohnung

Ausfertigung für die **Meldebehörde**

☐ Abmeldung lag vor   ☐ Beiblatt ist beigefügt
☐ Einzelmeldeschein   ☐ Meldescheine für ____ Personen
    für den/die
Nr. _____ Anmeldende(n)   Nr. _____ für den Ehegatten
    für das Kind/
Nr. _____ die Kinder   Nr. _____ für _____

Tagesstempel der Meldebehörde   Lfd.-Nr.

Bitte deutlich schreiben und fest aufdrücken – Sie benötigen kein Kohlepapier
Stark umrandete Felder werden von der Meldebehörde ausgefüllt

1 Angaben zur Person

| 1.1 Familienname | *Haufihu* | | 1.3 Geburtsname | |

1.2 Vornamen (gebräuchlichen Vornamen bitte unterstreichen) *Kawena*

| 1.4 Geburtsdatum | Tag | Monat | Jahr | 1.5 Geburtsort (wenn Ausland, bitte auch Staat angeben) |

1.7 Familienstand ☐ ledig ☐ verheiratet ☐ verwitwet ☐ geschieden seit

1.6 Geschlecht ☐ männlich ☐ weiblich

Schlüssel

1.8 Anzahl der Kinder: 1.9 Staatsangehörigkeit(en)

| | PLZ, Gemeinde, ggf. Ortsteile | die Wohnung war bisher | wird die Wohnung beibehalten? | die Wohnung - soll sein - soll bleiben | | ◀ HW = Hauptwohnung NW = Nebenwohnung |
| | Straße, Hausnummer, Adressierungszusätze | HW NW | nein ja | HW NW | Gemeindeschlüssel |

2 Neue Wohnung   Einzug am   Tag Monat Jahr   *München*

3 Bisherige Wohnung   Zuzug von bisheriger oder weiter bestehender Hauptwohnung (falls Zuzug aus dem Ausland, genügt Angabe des Staates)   **X**

4 Weitere Wohnungen im Inland

5 Ausweise   Ausstellungsbehörde   ausgestellt am Tag Monat Jahr   gültig bis Tag Monat Jahr

Ich bin verheiratet.
Ich habe drei Kinder.

1.5 Geburtsort (wenn Ausland, bitte auch Staat angeben)
1.7 Familienstand ☐ ledig ☒ verheiratet ☐ verwitwet
1.8 Anzahl der Kinder: *3*

Ich bin nicht verheiratet.
Ich habe keine Kinder.

1.5 Geburtsort (wenn Ausland, bitte auch Staat angeben)
1.7 Familienstand ☒ ledig ☐ verheiratet ☐ verwitwet
1.8 Anzahl der Kinder: *keine*

Ergänzen Sie die Fragen und Antworten.

1 _____ Herr Haufiku?   Aus Namibia.

2 Wann und wo ist er geboren?   *1969 in* _____

3 Welche Staatsangehörigkeit(en) hat er?   _____

4 Wie alt ist er?   _____

5 _____   Nein, er ist ledig.

6 Hat er Kinder?   _____

7 Wie lange ist er schon in Deutschland?   *Ein Jahr.* _____

8 Spricht er Englisch?   _____

9 _____   In München.

Die Jahreszahlen

man schreibt	man sagt
1848	achtzehn**hundert**achtundvierzig
1969	neunzehn**hundert**neunundsechzig
2001	zweitausendeins

ARBEITSBUC
8–9

B 7 **Fragen und antworten Sie. Finden Sie viele Gemeinsamkeiten. Arbeiten Sie zu dritt.**

Aber ich habe drei Kinder.   *Haben Sie Kinder?*   *Nein.*   *Ich auch nicht.*   *Sprechen Sie Englisch?*   *Ja. Und Sie?*   *Ich auch.*

Kinder? ◆ verheiratet/ledig/ ... ? ◆
Land? ◆ Sprache(n)? ◆ Wohnung? ◆
Geburtsjahr/Geburtsort? ◆ Alter? ◆
Wie lange in ... ? ◆ ... ?

Ich habe ...	Ich bin ...
Hast du ...?	Bist du ...?
Er/Sie hat ...	Er/Sie ist ...
Wir haben ...	Wir sind ...
Habt ihr ...?	Seid ihr ...?
Haben Sie ...?	Sind Sie ...?

Ich habe zwei Kinder.   Ich **auch**.   Ich **nicht**.
Ich habe **keine** Kinder.   Ich **auch** nicht.   Aber <u>ich</u>!

Raten Sie.

Nein.   *Nein.*   *Nein.*   *Habt ihr alle Kinder?*   *Sprecht ihr alle Englisch?*
Ja.   *Seid ihr alle verheiratet?*   *Seid ihr alle ledig?*

C Zu Besuch bei Vera

C 1 Hören und markieren Sie: richtig oder falsch?

		richtig	falsch
1	Vera hat eine neue Wohnung.	X	
2	Vera ist bei Petra und Andrea zu Besuch.		
3	Andrea trinkt Tee.		
4	Vera, Petra und Andrea sind „per du".		
5	Vera lernt Deutsch.		

C 2 Lesen Sie den Text und markieren Sie die Verben.

Vera (ist) jetzt drei Monate in Deutschland. Sie (wohnt) in Köln und arbeitet bei TransFair. TransFair ist eine internationale Spedition. Andrea und Petra arbeiten auch bei TransFair, sie sind Kolleginnen von Vera. Heute Nachmittag besuchen sie Vera zu Hause – sie kommen „zum Kaffeetrinken".

C 3 Hören Sie den Dialog noch einmal und ergänzen Sie die Sätze.

~~Ich nehme~~ ◆ wohnst du ◆ Ich gehe ◆ lernst du ◆ kommt ◆ Wir trinken ◆ Ich trinke ◆
~~Kennen Sie~~ ◆ Kennt ihr ◆ Nehmt ihr ◆ Ich nehme ◆ Wir gehen ◆ Ich mache

Es klingelt an der Wohnungstür. Vera öffnet die Tür.

Vera	Hallo! Da seid ihr ja.
Petra	Hallo, Vera.
Andrea	Tag, Vera.
Vera	Hier entlang. _____ ins Wohnzimmer. *Ich nehme* die Mäntel.
Andrea	Die Wohnung ist wirklich hübsch. Wie lange _____ schon hier?
Vera	Zwei Monate. _____ jetzt Kaffee ... ist das o.k.?
Petra	Ah, Kaffee!
Andrea	Hast du vielleicht auch Tee? _____ nämlich keinen Kaffee.
Vera	Natürlich. Einen Moment ...
Petra	Was sind das für Zettel? Hier ... und da, überall.
Andrea	Ich weiß nicht. Hier steht: „der Couchtisch".
Petra	Und hier an der Lampe: „die Stehlampe".

Andrea	Und am Fernseher ...
Vera	So. Der Tee _____ gleich.
Petra	Sag mal, Vera, _____ so Deutsch?
Vera	Ah, die Zettel. Das ist eine gute Methode. *Kennen Sie* die nicht?
Petra	Vera! Wir sind doch per du!
Vera	Per du ... ja, richtig: _____ die Methode nicht? _____ jede Woche zum Deutschkurs, aber ... _____ immer Fehler! Du, Sie, ihr, Ihnen, ... _____ Zucker und Milch?
Petra	Ja, gerne.
Andrea	_____ nur Zucker. ... Also diese Zettel, die finde ich gut. Ich kenne nur Vokabelhefte, da lernt man nicht viel.

C 4 **Ergänzen Sie die Verb-Endungen.**

Verb-Endung

Ich	nehm _e_	die Mäntel.	ich	- _e_
Ich	trink__	keinen Kaffee.		
Die Zettel	find__	**ich** gut.		

Wie lange	wohn__	**du** schon hier?	du	- ___
	Lern__	**du** so Deutsch?		

Verb mit Vokalwechsel e → i

nehmen

du	nimmst
er	
sie	nimmt
es	

Vera	wohn__	in Köln.	sie	
Sie	arbeit _et_	bei TransFair.	er	- ___
Der Tee	komm__	gleich.	es	
Es	klingel__	an der Wohnungstür.	man	
Da	lern__	**man** nicht viel.		

Wir	geh__	ins Wohnzimmer.	wir	- ___
Wir	trink__	jetzt Kaffee.		

	Kenn__	**ihr** die Methode nicht?	ihr	- ___
	Nehm__	**ihr** Zucker und Milch?		

Petra und				
Andrea	besuch__	Vera zu Hause.	sie	- ___
Sie	komm__	„zum Kaffeetrinken".		
Sie	arbeit__	auch bei TransFair.		

per Sie	Kenn__	**Sie** die Methode nicht?	Sie	- ___
	Nehm__	**Sie** Zucker und Milch?		

Subjekt	Verb			Verb	Subjekt	
Wir	trink en	jetzt Kaffee.		Nehm t	ihr	Zucker und Milch?
	Verb-Endung				Verb-Endung	

! 1 Das _____ bestimmt die Verb-Endung.

2 Das Subjekt steht ☐ ← links vom Verb. ☐ → rechts vom Verb. ☐ ← → links oder rechts vom Verb.

3 Die Verb-Endungen im Präsens sind gleich bei _er_ und _____.

bei _wir_ und _____.

4 Ein Buchstabe fehlt. Du arbeit ☐ st

Er/Sie find ☐ t

Ihr find ☐ t

ARBEITSBUCH
15–17

C 5 **Wählen Sie eine Situation aus und spielen Sie den Dialog.**

1 Sie besuchen Freunde. / Freunde besuchen Sie.
2 Sie sind neu im Haus und begrüßen die Nachbarn.
3 Sie haben eine neue Wohnung und sind auf der Meldestelle.

D Ein Ratespiel

D 1 Was ist das? Raten Sie zu dritt und ergänzen Sie.

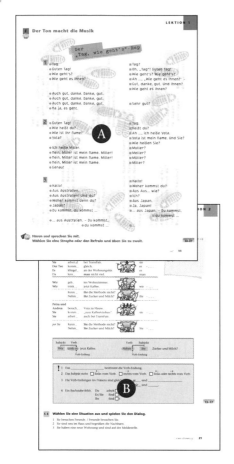

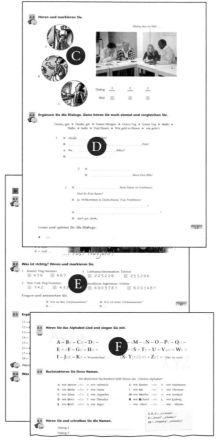

● *Ich glaube, H ist ein Lesetext.*
■ *Das ist doch kein Lesetext.*
  Ich glaube, das ist ein Formular.
▲ *Vielleicht ist das ja auch eine Tabelle.*

● *G sind vielleicht Bilder.*
■ *Ja, das sind Bilder und Lesetexte.*
▲ *...*

eine Tabelle	*H*	Bilder
ein Rap		Zahlen
ein Bild		Dialoge
eine Regel		Lesetexte
ein Lied		

Singular	Plural
1 Lesetext/Dialog	2, 3, ... Lesetexte/Dialoge
1 Bild	2, 3, ... Bilder
1 Zahl	2, 3, ... Zahlen

D 2 Was passt wo? Sortieren Sie nach Wortakzenten.

~~Bild~~ *(n)* ◆ ~~Bilder~~ *(Plural)* ◆ ~~Dialog~~ *(m)* ◆ Regel *(f)* ◆ Formular *(n)* ◆ Rap *(m)* ◆ Kursliste *(f)* ◆
Lesetext *(m)* ◆ Lied *(n)* ◆ Liste *(f)* ◆ Tabelle *(f)* ◆ Zahlen *(Plural)*

●   *Bild*
●●   *Bilder*
●●●
●●●
●●●   *Dialog*

 Jetzt hören und vergleichen Sie.

Lerntípp:

Die meisten Nomen
haben den Akzent am
Anfang. Ist der Akzent
nicht am Anfang,
lernen Sie die
Betonung „mit Geste".
Im Plural ist der
Akzent fast immer wie
im Singular.

D 3 **Was ist wo? Suchen Sie in Lektion 1 und 2 und vergleichen Sie mit den Bildern auf Seite 22.**

● *H ist die Tabelle auf Seite 6.*　　　▲ *A ist der Rap auf Seite ____ .*

▼ *G sind die Bilder und Lesetexte auf Seite 6.*　■ *F ist das Alphabet-Lied auf Seite ____ .*

D 4 **Ergänzen Sie die Tabelle und die Regeln.**

Beispiele	Tabelle *(f)*	Lesetext *(m)*	Lied *(n)*	Bilder *(Plural)*
der bestimmte Artikel		*der*		
der unbestimmte Artikel (+)				——
der negative Artikel (–)	*keine*		*kein*	

> **!** 1　Der unbestimmte Artikel ist gleich bei ____ *m* ____ und ____ *n* ____ .
>
> 　　　2　Der negative Artikel ist gleich | bei _____ und _____ .
> 　　　　　　　　　　　　　　　　　　　　　 bei _____ und _____ .
>
> 　　　3　Der bestimmte Artikel ist gleich | bei _____ und _____ .

ARBEITSBUCH
18–21

D 5 **Was ist wo? Fragen und antworten Sie.**

● *Was ist auf Seite … oben?*

■ *Da sind Bilder und eine Übung. Und was ist auf Seite … in der Mitte?*

▲ *Ein Bild und ein Lesetext. Und was ist … ?*

● *Wo ist ein Lesetext?*

■ *Zum Beispiel hier, auf Seite … unten. Und wo ist eine Regel?*

▲ *…*

● *Was ist das hier, auf Seite … ?*

■ *Ich glaube, das ist/sind …*

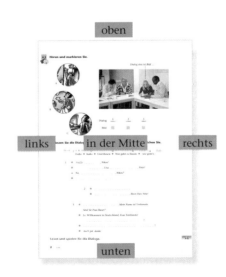

oben

links　　in der Mitte　　rechts

unten

E Zwischen den Zeilen

E 1 **Ergänzen Sie die Antworten: „Ich glaube, ..." / „Vielleicht ..." / „Ich weiß nicht." / ...**

Wo ist Yoko?

Sie ist zu Hause. +

Ich glaube, sie ist zu Hause. + ?

Vielleicht ist sie zu Hause. ? ?

Ich weiß nicht. –

1   Wo wohnt Nikos Palikaris?
    + Frankfurt   *Er wohnt in Frankfurt.*

2   Was ist er von Beruf?
    + ? Student

3   Wie alt ist er?
    –

4   Wo arbeitet Andrea?
    + bei TransFair

5   Wo wohnt Petra?
    ? ? Köln

6   Woher kommt Vera?
    –

E 2 **Fragen und antworten Sie.**

Karin Beckmann ◆ Herr Haufiku ◆ Maria Jablońska ◆ Frau Yoshimoto ◆ Vera ◆
Rainer Schnell ◆ Nikos ◆ ...

Beruf ◆ Wohnung ◆ Alter ◆ Geburtsort ◆ verheiratet/ledig ◆ Kinder ◆
Land ◆ Englisch ◆ in Deutschland ◆ Vorname/Nachname

● *Wer ist Karin Beckmann?*
■ *Die Reiseleiterin aus Lektion 1.*
● *Wo wohnt sie?*
■ *Ich glaube, in Hamburg.*
● *Wie alt ist sie?*
■ *Ich weiß nicht.*
● *...*

● *Ist Herr Haufiku verheiratet?*
■ *Nein, er ist ledig.*
● *Spricht er Englisch?*
■ *...*

ARBEITSBUCH
22–24

F Was möchten Sie?

ARBEITSBUCH
25–26

KLEINE SPEISEKARTE

Tasse Gulaschsuppe	2,90
1 Paar Frankfurter Würstchen	2,50
Hähnchen mit Pommes	4,60
Käsebrot oder Schinkenbrot	2,90
gemischter Salat mit Ei	6,80
Portion gemischtes Eis	3,-
Stück Kuchen	1,90
Mineralwasser	1,60
Cola oder Fanta	1,50
Orangensaft oder Apfelsaft	2,20
Bier (Export oder Pils)	2,60
Weißwein oder Rotwein	3,50
Kaffee oder Tee	2,40

F 1 Was essen und trinken die Leute?

 Hören und markieren Sie.

	Würstchen		Eis
1	Suppe		Bier
	Salat		Tee

- ● *Bei Nummer 1 isst jemand eine Suppe.*
- ■ *Und bei Nummer 2 trinkt jemand ...*
- ▲ *...*

Verben mit Vokalwechsel e → i

essen	du	isst
	sie / er / es / man	isst
helfen	du	hilfst
	sie / er / es / man	hilft
sprechen	du	sprichst
	sie / er / es / man	spricht

F 2 Sprechen Sie über die Bilder und die Speisekarte.

Was trinken/essen Sie gern?
Was trinken/essen Sie nicht so gern?

F 3 **Hören und markieren Sie.**

Das ist Vera.

		richtig	falsch
1	Vera kommt aus Brasilien.	X	
2	Vera macht Gymnastik.		
3	Andrea bestellt einen Salat mit Ei und ein Mineralwasser.		
4	Vera bestellt ein Käsebrot.		
5	Es gibt keinen Apfelsaft mehr. Vera nimmt einen Kaffee.		
6	Vera ist jetzt drei Monate in Deutschland.		
7	Vera ist als Touristin in Deutschland.		
8	Roman möchte noch eine Cola.		

> nehmen / möchten / trinken / haben / bestellen
> *f*   (k)eine Suppe
> *m*   (k)ein**en** Kaffee
> *n*   (k)ein Bier

ARBEITSBUC
27–28

F 4 **Spielen Sie Dialoge in kleinen Gruppen.**

● *Guten Tag / Hallo!*
■ *Das ist ... (Name).*
  Ich heiße ... und das ist ... (Name).

● *Wie geht's / Wie geht es Ihnen?*

Was möchten Sie?
Was darf's denn sein? Ja, bitte?
▲ *Ich nehme/möchte ...*

Und was trinken Sie?
▲ *Ich nehme/möchte/trinke ...*

Tut mir Leid, wir haben k... mehr.
Möchten Sie vielleicht ... ?
▲ *Ja. / Nein, dann nehme ich ...*

■ *Guten Appetit!*
  Prost!

● *Bist du / Sind Sie schon lange hier in ... ?*

> ein Mineralwasser
> einen Orangensaft
> einen Apfelsaft
> eine Cola
> eine Fanta
> einen Kaffee
> einen Tee
> ein Bier
> einen Weißwein
> einen Rotwein
> ein Käsebrot
> ein Schinkenbrot
> ein Paar Frankfurter Würstchen
> einen Salat mit Ei
> eine Gulaschsuppe
> ein (halbes) Hähnchen mit Pommes
> ein Eis
> ein Stück Kuchen

26   *sechsundzwanzig*

G Der Ton macht die Musik

Das deutsche Alphabet

Also los: Name?
Buchstabieren Sie bitte.
C wie Cäsar oder Z wie Zeppelin?
Der Vorname?
Einreisedatum?
Familienstand?
Geburtsort?
Halt, bitte langsam!
Internationaler Führerschein?
Ja oder nein?
Kinder?
Laut und deutlich, bitte!
Muttersprache?

Noch einmal, bitte!
O.K. Ausweis?
Papiere?
Quatsch – wo ist Ihr Pass?
Religion?
Staatsangehörigkeit?
Telefonnummer?
Und wo?
Vorwahl?
Wiederholen Sie bitte.
…
X-mal jeden Tag, mit S**y**stem, im
Zentrum Europas.

G 1 Finden Sie die passenden Wörter im Text „Das deutsche Alphabet".

Papier für das Auto	*Internationaler Führerschein*
die Telefonnummer von einer Stadt	
Christentum, Islam, Buddhismus, …	
verheiratet, ledig, geschieden, …	
Ihre Sprache / die Sprache Nummer 1	
Pass, Personalausweis, Führerschein, …	
Französisch, Chinesisch, Türkisch, …	
1. Tag in Deutschland	

G 2 Ergänzen Sie die Antworten und spielen Sie den Dialog.

● *Also los: Wie ist Ihr Name?*
■ *Waclawczyk.*
● *Buchstabieren Sie bitte.*
■ *W-A-C-….*
● *C wie Cäsar oder Z wie Zeppelin?*
■ *C wie Cäsar.*

● *Und der Vorname?*
■ *…*
● *Einreisedatum?*
■ *0–1–0–4 zweitausend…*
● *Familienstand?*
■ *…*

ARBEITSBUCH
29–32

H Kurz & bündig

W-Fragen § 25

Wer ist das?	Ich glaube, das ist Kawena Haufiku.
Wo wohnt Herr Haufiku?	**In** München.
Wo arbeitet Frau Barbosa?	**Bei** TransFair.
Wie ist die Adresse von Herrn Palikaris?	Ludwig-Landmann-Straße 252.
Wie ist die Telefonnummer von Frau Beckmann?	Ich weiß nicht.
Wie alt bist du?	23.
Wie lange sind Sie **schon** in Deutschland?	Erst / Schon **3 Monate**.
Wann und **wo** sind Sie geboren?	**1969, in** Windhuk.
Was möchten Sie trinken?	Einen Apfelsaft … Nein, eine Cola, bitte.

Buchstabieren § 1

Wie ist Ihr Name?	Yoshimoto.
Wie bitte? Buchstabieren Sie bitte.	Y-O-S-H-I-M-…
M wie Martha oder N wie Nordpol?	M wie Martha.

Das Verb im Präsens § 6, § 7

Ich wohne in der Wohnung nebenan.	Wir wohnen jetzt schon 20 Jahre hier.
Lern**st** **du** so Deutsch?	Das ist eine gute Methode. Kenn**t** **ihr** die nicht?
Vera Barbosa arbeite**t** bei TransFair.	**Petra** und **Andrea** arbeit**en** auch bei TransFair.
Welche Staatsangehörigkeit **haben Sie**?	Namibisch und britisch.
Seid ihr verheiratet? **Habt ihr** Kinder?	Nein, **wir sind** ledig und **haben** keine Kinder.

Unbestimmter Artikel (Nominativ) § 12/2.   Bestimmter Artikel (Nominativ) § 10, § 12.1

Das ist **eine** Tabelle.	
Nein, das ist **keine** Tabelle. Das ist **eine** Regel.	Genau. Das ist **die** Regel auf Seite 21.
Und das hier ist **ein** Dialog.	
Das ist doch **kein** Dialog. Das ist **ein** Lesetext.	Das ist **der** Rap auf Seite 11.
Ich glaube, das ist **ein** Lied.	Richtig. Das ist **das** Lied auf Seite 16.
Das sind Texte und Bild**er**.	Ja. Das sind **die** Bilder und Texte auf Seite 6.

Bestellungen: unbestimmter Artikel (Akkusativ) § 12/2.

Ja, bitte? ↗	Ich möchte **eine** Suppe→und **einen** Apfelsaft. ↘
Tut mir Leid. ↘ Wir haben **keinen** Apfelsaft. ↘	Dann nehme ich **eine** Cola. ↘
Und Sie? ↗	**Einen** Salat mit Ei→und **ein** Wasser, bitte. ↘
Möchten Sie noch etwas? ↗	Ja,→einen Kaffee, bitte. ↘
	Noch **ein** Mineralwasser, bitte. ↘

Nützliche Ausdrücke

Ich heiße Steinfeldt-Reichenbacher. ↘	**Bitte noch einmal.** ↘ / **Bitte langsam.** ↘
Ich heiße Waclawczyk. ↘	Waclawczyk →– **wie schreibt man das?** ↘
Ich glaube,→Nikos ist zu Hause. ↘	**Vielleicht** ist er **ja auch** im Deutschkurs? ↘
Wie alt ist Nikos? ↗	**Ich weiß nicht.** ↘
Kommen Sie doch am Samstag **mal vorbei,** ↘ nachmittags,→**zum Kaffeetrinken.** ↘	
Nehmt ihr Zucker und Milch? ↗	Ja, gerne. ↘/ Nein, danke. ↘
Ich spreche Englisch. ↘	Ich **auch.** ↘ Ich **nicht.** ↘
Ich habe **keine** Kinder. ↘	Ich **auch nicht.** ↘ Aber ich! ↘
Ich bin **nicht** verheiratet. ↘	Ich **auch nicht.** ↘ Aber ich! ↘

Guten Tag, ich suche ...

A Rupien, Dollar, Euro ...

A 1 **Welche Währungen kennen Sie? Diskutieren Sie zu dritt.**

● *Was __ist__ das?* ↗

■ *Ich __glaube__, → G ist chinesisches __Geld__.* ↘

◆ *__Nein__, → das sind __Yen__. ↘ So heißt das Geld in Japan. ↘*

● *Und __das__ hier sind vielleicht ...*

Die Kunden möchten Geld wechseln.

1 Die Kundin bekommt

   ☐ a) 55 000 Yen

   ☐ b) 5 500 Yen

3 Die Kundin wechselt

   ☐ a) 510 000 Pesos

   ☐ b) 1 510 Pesos

2 Der Kunde bekommt
   für 1 000 US-Dollar

   ☐ a) 1 087 Euro

   ☐ b) 1 078 Euro

4 Die Kundin bekommt

   ☐ a) 1 460 kanadische Dollar

   ☐ b) 1 416 kanadische Dollar

1 000	= (ein)**tausend**
2 300	= zwei**tausend**dreihundert
12 110	= zwölf**tausend**einhundertzehn
100 000	= (ein)hundert**tausend**
253 000	= zweihundertdreiundfünfzig**tausend**
1 000 000	= eine **Million**
6 500 000	= sechs **Millionen** fünfhunderttausend
1000 Millionen	= eine **Milliarde**

A 3 Üben Sie zu zweit.

Umrechnungstabelle

		1	10	100	1000
Deutschland Südafrika	EUR=Euro ZAR=Rand	8,18	81,8	818	8185
		10000	20000	50000	100000
Japan Deutschland	JPY=Yen EUR=Euro	92	184	460	920
		1	10	100	1000
Italien USA	EUR=Euro USD=US Dollar	0,87	8,79	87,90	879

● *Wie viel Euro bekomme ich für hunderttausend Yen ?* ↘
■ *Einen Moment.* ↘ *Hunderttausend Yen,*→ *das sind 920 Euro.* ↘

● *Guten Tag,* ↘ *ich möchte hunderttausend Yen in Euro wechseln.* ↘
■ *Hunderttausend japanische Yen ...*→*, das sind genau neunhundert-zwanzig Euro.* ↘

ARBEITSBUC
2–3

A 4 **Was wissen Sie über die Schweiz, über Österreich und über Deutschland?**
Sammeln Sie gemeinsam.

| Einwohner ◆ Größe ◆ Währung ◆ Hauptstadt ◆ große Städte |

Lesen Sie und ergänzen Sie das passende Land.

	_____	_____	_____
Einwohner	82 Millionen	8 Millionen	7 Millionen
Größe	357 022 km²	83 853 km²	41 293 km²
Währung	Euro	Euro	Schweizer Franken
Hauptstadt große Städte	Berlin (3,3 Millionen) Hamburg (1,7 Millionen) München (1,2 Millionen) Köln (963 000)	Wien (1,6 Millionen) Graz (240 000) Linz (189 000) Salzburg (143 000)	Bern (122 000) Zürich (338 000) Genf (175 000) Basel (166 000)

Deutschland hat 82 Millionen Einwohner. Es ist 357 022 Quadratkilometer groß.
Die Währung in Deutschland heißt Euro. Berlin ist die Hauptstadt. In Berlin leben zirka
3,3 Millionen Menschen. Weitere große Städte sind Hamburg mit zirka 1,7 Millionen Einwohnern,
München mit zirka 1,2 Millionen Einwohnern und Köln mit zirka 963 000 Einwohnern.

Schreiben Sie über Ihr Land.

B Im Möbelhaus

MöbelFun

Moderne Möbel für junge Leute

Viel Design für wenig Geld

komplette Einbauküche — 898,-

modernes Doppelbett im Futon-Stil — 594,-

flottes Ecksofa in aktuellen Farben — 279,-

bequemer Fernsehsessel — 199,-

solides Bücherregal — 190,-

praktischer Kombischrank — 599,-

bildschöner Designer-Tisch & 6 Stühle — 689,-

3fach verstellbarer Bürostuhl — 148,-

farbenfroher Wollteppich — 79,-

schicke Stehlampe — 49,-

Hanauer Landstr. 424

Jetzt aber los! ▶▶▶

B 1 **Lesen Sie die Werbung und suchen Sie diese Möbel.**

Teppich ◆ ~~Küche~~ ◆ Tisch ◆ Bett ◆ Stuhl ◆ Regal ◆ Schrank ◆ Sessel ◆ Sofa ◆ Lampe

komplette Einbauküche →	die Küche
verstellbarer Bürostuhl →	der Stuhl
flottes Ecksofa →	das Sofa

B 2 **Sortieren Sie die Möbel.**

f die	*m* der	*n* das
die Küche	der Stuhl	das Sofa

ARBEITSBUCH
4–5

Hören Sie das Gespräch und ergänzen Sie die Adjektive.

bequem ◆ praktisch ◆ super ◆ ganz hübsch ◆ ganz schön ◆ toll ◆ interessant ◆ langweilig ◆
nicht billig ◆ nicht schlecht ◆ nicht schön ◆ sehr günstig ◆ sehr schick ◆ zu groß ◆ zu teuer

	Die Frau findet ...	Der Mann findet ...
das Sofa	*bequem*	*ganz hübsch, zu teuer*
die Stehlampe		
die Stühle		
den Tisch		
den Teppich		

Sortieren Sie die Adjektive.

sehr gut   *nicht gut*

super	*bequem*	*zu teuer*
	ganz hübsch	

ARBEITSBUC
6–7

Wie finden Sie die Möbel? Fragen und antworten Sie.

● *Wie findest du die Küche von Möbel-Fun?* ↗   ● *Den Teppich von Helberger finde ich toll.* ↘

■ *Die finde ich ganz schön.* ↘ *Und sehr günstig.* ↘   ■ *Ich auch.* ↘ *Aber der ist zu teuer.* ↘

Artikel + Nomen	Artikel ohne Nomen = Pronomen
Wie findest du **den Teppich**?	**Den** ~~Teppich~~ finde ich langweilig.

ARBEITSBUC
8

B 6 **Was passt wo? Ergänzen Sie bitte.**

Den ◆ den Teppich ◆ den Verkäufer ◆ eine Stehlampe ◆ einen Teppich ◆ ~~kein Sofa~~ ◆
keine Stühle ◆ Teppiche

Wie findest du das Sofa?	Ich kaufe doch _kein Sofa_ für 999 Euro!
Wir brauchen _____ .	
Wie findest du denn die da vorne?	Die ist ja auch nicht billig.
Wo sind denn die Teppiche?	Warum fragst du nicht _____ ?
Wir suchen die Teppichabteilung.	_____ finden Sie ganz da hinten.
Schau mal, die Stühle da.	Aber wir brauchen doch _____ .
Und der Tisch hier, der ist doch toll!	_____ finde ich nicht schön.
Wie findest du _____ hier?	Den finde ich langweilig.
Wir suchen _____ .	

🎵 30 **Hören Sie noch einmal und vergleichen Sie.**

B 7 **Lesen Sie die Regeln, ergänzen Sie Beispiele aus B 6 und markieren Sie den Akkusativ.**

In vielen Sätzen gibt es Akkusativ-Ergänzungen .

1 Akkusativ-Ergänzungen stehen   Beispiele

• rechts von Verb und Subjekt   _Wie findest du das Sofa ?_ _____

_____

_____

• links von Verb und Subjekt   _____

_____

_____

2 Verben mit Akkusativ-Ergänzung   ohne Akkusativ-Ergänzung

kosten, _____   _____

B 8 **Lesen Sie die Sätze aus B 6 und B 7 und ergänzen Sie.**

	f	m	n	Plural
Nominativ	_____ Lampe	_____ Teppich	_____ Sofa	_____ Stühle
	eine Lampe	_ein_ Teppich	_ein_ Sofa	— Stühle
	keine Lampe	_____ Teppich	_kein_ Sofa	_keine_ Stühle
Akkusativ	_____ Lampe	_____ Teppich	_____ Sofa	_die_ Stühle
	_____ Lampe	_____ Teppich	_____ Sofa	— Stühle
	keine Lampe	_____ Teppich	_____ Sofa	_____ Stühle

❗ Im Nominativ und im Akkusativ ist der Artikel **nicht** gleich bei _____ .

Spielen Sie „Im Möbelhaus" und sprechen Sie über die Möbel.

29,–

698,–

248,–

900,–

Schau mal, die Stühle da. Die sind doch …

Wie findest du … hier?

Ich weiß nicht.
Ja, die finde ich auch …
Nein, die finde ich nicht …
Wir brauchen doch keine …
Die finde ich …
Die sind doch …

Was kosten die denn?   *Die kosten … Euro.*

Das ist günstig.
Das geht.
Das ist teuer.

Ich suche …   *… finden Sie | gleich hier vorne.*
Wo sind denn …?   *| ganz da hinten.*
                Tut mir Leid, wir haben keine …

390,–

Tisch 128,–

Stuhl 79,–

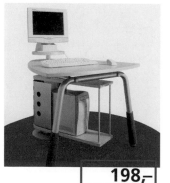

898,–

169,–

198,–

C Haushaltsgeräte

C 1 Lesen Sie die Statistik und ergänzen Sie den Text.

Staubsauger	100 %
Kühlschrank	99 %
Fernseher	96 %
Telefon	96 %
Waschmaschine	95 %
Fahrrad	78 %
PKW	74 %
Stereoanlage	72 %
Handy	70 %
CD-Player	59 %
Mikrowelle	59 %
Computer	54 %
Videokamera	22 %
Laptop	8 %

Fernseher und Telefon sind Standard – Computer im Vormarsch

In Deutschland gibt es in jedem Haushalt einen Staubsauger und in fast jedem Haushalt einen Kühlschrank (99 %). Etwa genauso viele besitzen einen Fernseher (_____%), ein Telefon (_____%) und eine Waschmaschine (_____%). Eine Mikrowelle findet man dagegen nur in _____ von 100 Haushalten, und nur knapp ein Viertel der Deutschen (_____%) hat eine Videokamera. _____% der Deutschen in Ost und West besitzen inzwischen eine Stereoanlage, fast genauso viele ein Handy (_____%) und über die Hälfte der Haushalte (_____%) hat inzwischen einen CD-Player. Computer sind nach wie vor der Verkaufshit: schon in _____ von 100 Haushalten gibt es einen Heimcomputer. Aber nur wenige besitzen einen Laptop: nur _____ von 100 Haushalten.

Ein Teil +	der	+ Plural
Ein Viertel	der	Deutschen ...
Über die Hälfte	der	Haushalte ...

ARBEITSBUCH
14

C 2 Fragen und antworten Sie.

● *Wie ist das in <u>Frank</u>reich?* ↘ *Wie viele Leute haben <u>dort</u> ein Telefon?* ↘
■ *Ich <u>glau</u>be,→ fast <u>al</u>le.* ↘
● *Und wie ist das in ... ?* ↗
▲ *Ich <u>weiß</u> nicht. → Vielleicht ... Pro<u>zent</u>.* ↘
▼ *<u>Nicht</u> so viele. → Etwa ... Pro<u>zent</u>.* ↘
■ *Und in ... ?* ↗ *Wie viele Haushalte haben <u>dort</u> ... ?* ↘

```
                                        ┌── 100
                        fast alle ──────┤
                                        │
                     drei Viertel ──────┤── 75
                     zwei Drittel ──────┤
                   über die Hälfte ─────┤
                   etwa die Hälfte ─────┤── 50
                   fast die Hälfte ─────┤
                                        │
                      ein Drittel ──────┤
                      ein Viertel ──────┤── 25
                                        │
                       nur wenige ──────┤
                                        └── 0
```

C 3 Wer hat was? Spielen Sie zu viert und raten Sie.

Hat Francis einen Computer? ↗
    Ich <u>glau</u>be,→ er hat einen. ↘
        Ich <u>glau</u>be,→ er hat keinen. ↘
          Doch,→ ich <u>ha</u>be einen. ↘

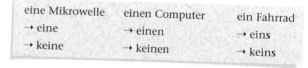

eine Mikrowelle	einen Computer	ein Fahrrad
→ eine	→ einen	→ eins
→ keine	→ keinen	→ keins

● *Hat Pawel ein <u>Fahr</u>rad?* ↗
■ *Ja ... → Ich <u>glau</u>be,→ er hat eins.* ↘
▲ *Ich <u>glau</u>be,→ er hat <u>keins</u>.* ↘
▼ *<u>Stimmt</u>,→ ich <u>ha</u>be <u>keins</u>,* ↘ *aber ich <u>brau</u>che eins.* ↘

Berichten Sie.

▼ *Ich habe kein Fahrrad, aber Francis, Ewa und Juji haben ...*
▲ *Ewa und ich haben ..., aber Francis und Pawel haben ...*
■ *Wir alle haben ...*

ARBEITSBUCH
15–16

D 1 **Was ist wo? Raten Sie und ergänzen Sie den Plan.**

Haushaltswaren ◆ Möbel ◆ Computer ◆ Fahrräder ◆ Herrenbekleidung

4. Stock

	Teppiche	
Lampen	Bilder	

3. Stock

Foto		Musik
TV & Video	Elektronik	

2. Stock

Sportbekleidung
Sportgeräte

1. Stock

Textilien
Damenbekleidung

Erdgeschoss

Information	Bücher	Kosmetik
Lederwaren	Zeitungen	
Schreibwaren	Zeitschriften	

Untergeschoss

Haushaltsgeräte

	Wo?	
4. Stock	→	im vierten Stock
3. Stock	→	im dritten Stock
2. Stock	→	im zweiten Stock
1. Stock	→	im ersten Stock
Erdgeschoss	→	im Erdgeschoss
Untergeschoss	→	im Untergeschoss

  Jetzt hören und vergleichen Sie.

D 2 **Was passt zusammen? Hören Sie noch einmal und markieren Sie.**

1	Ich suche einen Topf.	_d_	a	Die Elektronikabteilung ist im dritten Stock.
2	Haben Sie hier keine Fahrräder?		b	Da hinten haben wir ein paar Sonderangebote.
3	Ich suche eine Waschmaschine.		c	Doch, natürlich. Was für eins suchen Sie denn?
4	Entschuldigung, wo finde ich Betten?		d	<u>Töpfe</u> finden Sie im Untergeschoss.
5	Haben Sie noch andere Sofas?		e	Die Waschmaschinen sind gleich hier vorne. Was für eine möchten Sie denn?
6	Gibt es hier Jogginganzüge?		f	Ja, natürlich. Mäntel sind da hinten.
7	Haben Sie auch einen passenden Mantel?		g	Die Möbelabteilung ist im vierten Stock.
8	Entschuldigung, wo gibt es denn hier Computer?		h	Nein, die kommen erst nächste Woche wieder rein.

Ich suche	eine Waschmaschine.	**Was für**	eine	suchen Sie denn?	Ich weiß nicht genau.
	einen Teppich.		einen		Einen Wollteppich.
	ein Fahrrad.		eins		Ein Sportrad.

Markieren Sie die Pluralformen.

D 3 **Ergänzen Sie die Artikel und die Pluralformen.**

> **Schrank** *der; -(e)s, Schrän·ke;* ein großes Möbelstück (*bes* aus Holz) mit Türen, in dem man Kleider, Geschirr *o. Ä.* aufbewahrt. <e-n S. aufstellen, öff·nen, schließen, einräumen, ausräumen; etw. in e-n S. tun, legen, hängen; etw. im S. aufbewahren> || K:- **Schrank-, -fach, -tür** || -K: **Akten-, Besen-, Bücher-, Geld-, Geschirr-, Kleider-, Schuh-, Wäsche-; Eichen-, Glas-, Küchen-, Schlafzimmer-, Wohnzimmer-, Wand-**

> **der Schrank** [ʃraŋk]; -[e]s, Schränke [ˈʃrɛŋkə] *meist verschließbares Möbelstück mit Türen zur Aufbewahrung von Dingen:* ein schwerer eichener Schrank; etwas aus dem Schrank nehmen; etwas in den Schrank legen, stellen, tun; die Kleider in den Schrank hängen. *Syn.:* Kasten (*südd., österr., schweiz.*). *Zus.:* Aktenschrank, Arzneischrank, Besenschrank, Bücherschrank, Geschirrschrank,

_____	Auto	die	_____
das	Bett	die	*Betten*
_____	Bild	die	_____
_____	Buch	die	_____
der	Computer	die	*Computer*
das	Fahrrad	die	*Fahrräder*
_____	Fernseher	die	_____
_____	Fotoapparat	die	_____
_____	Glas	die	_____
_____	Mantel	die	_____
_____	Schal	die	_____
_____	Sessel	die	_____
_____	Sofa	die	_____
_____	Staubsauger	die	_____
_____	Stehlampe	die	_____
_____	Stereoanlage	die	_____

_____	Stuhl	die	_____
_____	Teppich	die	_____
der	Topf	die	*Töpfe*
_____	Videorekorder	die	_____
die	Waschmaschine	die	*Waschmaschinen*
_____	Zeitung	die	_____

Lerntipp:

Für den Plural gibt es oft keine Regel.
Lernen Sie Nomen deshalb immer
mit Artikel und
mit Plural, also:
„**der** Stuhl, St**ü**hle" → der Stuhl, ¨e

Unterstreichen Sie die Plural-Endungen und ergänzen Sie.

Nomen bilden den Plural mit den Endungen	Beispiele
-e	*Fotoapparate,* _____
-(e)n	*Waschmaschinen,* _____
-er	*Fahrräder,* _____
-s	*Sofas,* _____
ohne Plural-Endung	*Computer,* _____

Ein a, o und u im Singular wird im Plural oft zu ____ , ____ und ____ .
Die **bestimmten** Artikel im Nominativ Singular heißen *die* , ____ , ____ ; im Plural heißt der bestimmte Artikel immer ____ .

! 1 Wörter auf **-e** (Lamp**e**, Waschmaschin**e**, ...) bilden den Plural (fast) immer mit ____ und haben (fast) alle im Singular den Artikel ____ .
   2 Wörter auf **-er** (Fernseh**er**, Comput**er**, ...) haben im Plural meistens dieselbe Form wie im Singular und haben im Singular meistens den Artikel ____ .

Lesen Sie noch einmal Regel 1 und finden Sie weitere Wörter auf „-e".

Adresse, Liste, ...

Spielen Sie „Information" und üben Sie zu zweit.

● ➠ mit Wortliste von **D 3**   ■ ➠ mit Kaufhausplan von **D 1**

● *Entschuldigung, → ich suche einen Topf.* ↘   ■ *Töpfe finden Sie im Untergeschoss.* ↘

● *Haben Sie hier keine … ?* ↗   ■ *Nein, → leider nicht.* ↘ *Tut mir Leid.* ↘

● *Entschuldigung, → wo finde ich … ?* ↘   ■ *Ich glaube, → im … Stock..* ↘ *Fragen Sie doch bitte dort eine Verkäuferin.* ↘

● *Wo gibt es denn hier … ?* ↘   …

D 5 **Wer sagt was? Markieren Sie.**

V = Verkäuferin/Verkäufer; K = Kundin/Kunde

1
  V   Kann ich Ihnen helfen?
  K   Ja, bitte.
  ____   Wo finde ich … ?
  ____   Tut mir Leid.
  ____   Da sind Sie hier falsch.
  ____   … finden Sie im …
  ____   Vielen Dank.

2
  ____   Entschuldigung, wo gibt es denn hier … ?
  ____   Ich suche …
  ____   Was für … suchen Sie denn?
  ____   Ein …, für …
  ____   Kommen Sie bitte mit.
  ____   Hier haben wir Komfortmodelle zwischen … und … Euro.
  ____   Haben Sie auch einfache Modelle für … bis … Euro?
  ____   Ja, hier haben wir ein paar Sonderangebote.
  ____   … hier finde ich schön.
  ____   Haben Sie vielleicht noch andere … ?
  ____   Nein, leider nicht. Tut mir Leid.

3
  ____   Was kostet … denn?
  ____   … Euro.
  ____   Oh, das ist zu teuer.
  ____   Und was kostet … ?
  ____   … Euro.
  ____   Na ja, das geht.

4
  ____   Gut, … nehme ich.
  ____   Die Kasse ist … hier vorne / da hinten.
  ____   Vielen Dank.
  ____   Danke. Auf Wiedersehen.

D 6 **Schreiben und spielen Sie einen Dialog.**

● *Guten Tag. Kann ich Ihnen helfen?*
■ *Ja, bitte. Ich suche …*
▲ *…*

E Der Ton macht die Musik

E 1 **Lesen Sie den Dialog und ergänzen Sie die Adjektive.**

bequem ◆ cool ◆ ganz egal ◆ ganz nett ◆ krank ◆ nicht schlecht ◆ gar nicht teuer ◆
schick ◆ ~~sehr günstig~~ ◆ toll ◆ ~~Viel zu klein~~

Der Einkaufsbummel-Rap

1 Schau mal hier, das Doppelbett.
Die Lampe da – die ist _____ .
Wie findest du den Stuhl?
Der ist auch _sehr günstig_ , Mann!

Ja, das find' ich auch _____ .
Ja, die geht, da hast du Recht.
Der ist wirklich _____ .
Na klar, das ist doch Möbel-Fun.

Refrain Wie findest du …?
Der ist doch super!
Mann, den find' ich wirklich stark!

Na ja, es geht.
Ja, ganz nett.
Der kostet hundertachtzig Mark!

2 Ist der Tisch nicht wundervoll?
Und die Couch? Das ist Design!
Der Teppich hier, ist der nicht _____ ?
Die Küche find' ich … Was meinst du?

Nee, den find' ich nicht so _____ .
Für unsre Wohnung? – _Viel zu klein_ .
Du hast wirklich einen Tick!
Ach geh, jetzt lass mich doch in Ruh'!

Refrain Wie findest du …?
Die ist doch super!
Mann, die find' ich wirklich stark!

Na ja, es geht.
Ja, ganz nett.
Die kostet zwanzigtausend Mark.

3 Schau mal! Praktisch, dieser Schrank!
Wieso? Der ist doch _____ .
Und was kostet das Regal?
Das Sofa ist bestimmt _____ .

Der da? Sag mal, bist du _____ ?
Nicht teuer? – Fünfzehnhundert Eier!
Ist doch wirklich _____ .
Komm, ich möcht' jetzt wirklich geh'n.

Refrain Wie findest du …?
Das ist doch super!
Mann, das find' ich wirklich stark!

Na ja, es geht.
Ja, ganz nett.
Das kostet über tausend Mark!

Seit Januar 2002 haben einige Länder in Europa
eine gemeinsame Währung: den Euro. Vorher
hieß das Geld in Deutschland Mark (DM).
1 Euro = 1,95583 Mark

 Hören und vergleichen Sie.

E 2 **Wählen Sie eine Strophe (und den Refrain) und üben Sie zu zweit.**

F Gebrauchte Sachen

F 1 Lesen Sie die Anzeigen. Was können Sie kaufen?

Nr. 16/97 · Freitag   18.4.2000 - 20.4.2000   14. Jahrgang   € 3,80

das inserat

He.-Fahrrad 5-Gang, 1991, Np 600,–, VB 80,–. Tel. 73 35 98 22

Zu verkaufen: Damen-City-Bike, 28", Sachs-Super 7-Nabenschaltung, Standrücklicht, reflekt. Lack, wenig gefahren, VB 300,–. Tel. 42 53 79 14

Waschmaschine, sehr guter Zustand, mit allen Energie- und Sparprogrammen, 290,– €. 0 69 / 96 31 74

Waschmaschine AEG Lavamat 2000, (90 Grad-Programm defekt), 30,– €. 0 60 05 / 281 42

Waschmaschine, techn. sehr guter Zustand, 190,– € VB. 0 61 30 / 2 77 40

Gebrauchter Kühlschrank, sehr günstig zu verkaufen, Tel. 78 91 23 46

Kühlschrank zu verk., Tel. 88 99 65 04

Pentium Mini Tower, 333 MHz Pentium Celeron, 64 MB SD-RAM 100, 2,1 GB Festplatte, 4 MB Grafik, 32x CD-ROM, guter Zustand, 255,– €. 0 60 12/46 05 35

PC Athlon 900 MHz, 256 MB SD-RAM PC-133, 20 GB HD, 8x DVD, 64 MB Grafik 2D/3D, VGA, Modem 56k V.90, 10BaseT/100BaseTX Netzwerkkarte, Floppy 3,5" Gehäuse 300 Watt Miditower m. abnehmb. Seitenwänden, Software WIN Me etc. 780,– € VB. 0 69 / 65 26 68

Spülmasch., B 60 cm, H 82-85 cm, gut. Zustand, 130,– €. 0 69 / 49 19 06

Geschirrspülmaschine Constructa, 1 Jahr alt, ca. 6 mal benützt, 300,– €. 0 69 / 59 29 46

F 2 Hören Sie das Telefongespräch und machen Sie Notizen.

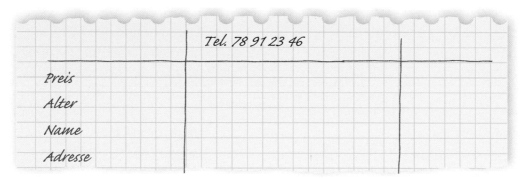

Tel. 78 91 23 46

Preis

Alter

Name

Adresse

F 3 Sortieren Sie den Dialog.

☐ Oh,→ das ist aber günstig. ↘ Funktioniert der auch? ↗

☐ Ja,→ aber kommen Sie gleich. ↘ Ich bin nur noch eine Stunde zu Hause. ↘

☐ Wiederhören. ↘

☐ Wo wohnen Sie denn? ↘

☐ 60 Euro. ↘

☐ Ja,→ natürlich! ↘ Der Kühlschrank ist erst ein Jahr alt. ↘

2 Guten Tag,→ mein Name ist Bäcker. ↘ Sie verkaufen einen Kühlschrank? ↗

☐ Aha. ↘ Haben Sie jetzt vielleicht Zeit? ↗

☐ Schillerstr. 37. ↘ Schneider ist mein Name. ↘

☐ Schillerstr. 37,→ gut,→ bis gleich. ↘ Auf Wiederhören, Herr Schneider. ↘

1 Schneider. ↘

☐ Wie viel kostet der denn? ↘

☐ Ja. →

Hören Sie noch einmal und vergleichen Sie. Dann üben Sie zu zweit.

F 4 | **Lesen Sie noch einmal die Anzeigen aus F 1 und spielen Sie Dialoge.**

Sie brauchen eine Waschmaschine / ein Fahrrad / einen Computer.

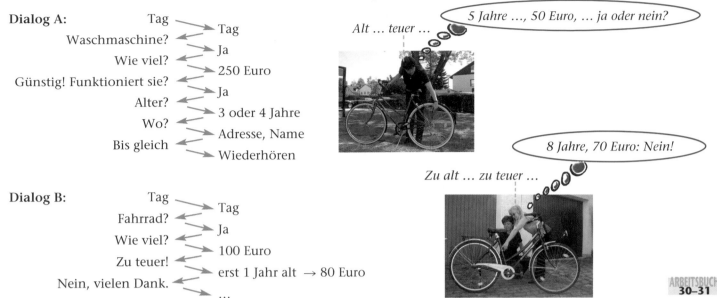

Dialog A:
Tag → Tag
Waschmaschine? → Ja
Wie viel? → 250 Euro
Günstig! Funktioniert sie? → Ja
Alter? → 3 oder 4 Jahre
Wo? → Adresse, Name
Bis gleich → Wiederhören

Alt ... teuer ...

5 Jahre ..., 50 Euro, ... ja oder nein?

Zu alt ... zu teuer ...

8 Jahre, 70 Euro: Nein!

Dialog B:
Tag → Tag
Fahrrad? → Ja
Wie viel? → 100 Euro
Zu teuer! → erst 1 Jahr alt → 80 Euro
Nein, vielen Dank. → ...

ARBEITSBUCH
30–31

G | **Zwischen den Zeilen**

Fragen und antworten Sie.

Wie lange sind Sie denn schon verheiratet?

Nicht lange.   *Sehr lange.*

Erst drei Jahre.   *Schon drei Jahre.*

● Wie lange wohnen Sie denn schon in Ihrer Wohnung?
■ Schon / Erst / Fast ...
▲ Wie alt ... ?
▼ Was kostet ... ?

erst ◆ schon ◆
fast ◆ etwa ◆
über

über ein Jahr
etwa ein Jahr ── ein Jahr
fast ein Jahr

Deutsch lernen ◆ in Ihrer Wohnung wohnen ◆ bei ... arbeiten ◆ Gitarre/... spielen ◆ Fahrrad ◆ Radio ◆ Computer ◆ Einbauküche ◆ Kühlschrank ◆ Waschmaschine ◆ ...

ARBEITSBUCH
32–34

Schreiben Sie einen Dialog. CaRtooN

H Kurz & bündig

Die Akkusativ-Ergänzung § 9, 12, 27

Unbestimmter Artikel

Wir suchen **einen Tisch**.	**Tische** finden Sie im ersten Stock.
Ich suche **ein Fahrrad**.	**Fahrräder** finden Sie in der Sportabteilung.
Ich suche **eine Lampe**.	Tut mir Leid, wir haben **keine Lampen**.
Wo gibt es **Teppiche**?	**Teppiche** finden Sie ganz da hinten.

	Artikel als Pronomen § 14
Hat Ewa **eine Stereoanlage**?	Ja, sie hat **eine**.
Haben Sie **einen Computer**?	Nein, ich habe **keinen**.
Hast du **ein Fahrrad**?	Ja, ich habe **eins**.

Bestimmter Artikel / **Artikel als Pronomen** § 14

Wie finden Sie **den Tisch** hier?	**Den** finde ich langweilig.
Wie findest du **die Küche**?	**Die** finde ich praktisch. Und sehr günstig.
Wie findest du **das Sofa**?	**Das** finde ich elegant. Aber zu teuer.
Und **die Stühle** hier?	**Die** finde ich nicht schön.

Zahlenangaben § 21

In Deutschland gibt es in **96 von 100** Haushalten ein Telefon.
99 % (= Prozent) der Deutschen haben einen Kühlschrank.
Über die Hälfte der Haushalte hat inzwischen eine Mikrowelle.
Fast ein Viertel der Deutschen hat eine Videokamera.
Etwa drei Viertel der Haushalte besitzen einen PKW.
Nur wenige haben einen Laptop.

Der Singular   Der Plural § 11

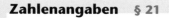

Ich suche einen Sessel.	Bitte, die Sessel sind hier.
Ich suche einen Computer.	Computer? Wir haben keine Computer.
Ich möchte einen Topf.	Ich habe da ein Angebot: 6 Töpfe für 49 Euro.
Ich suche eine Waschmaschine.	Wir haben viele Waschmaschinen. Wie viel möchten Sie denn ausgeben?
Hast du ein Fahrrad?	Eins? Ich habe drei Fahrräder.
Das Sofa ist zu teuer.	Haben Sie noch andere Sofas?

Nützliche Ausdrücke

Wie viel Euro bekomme ich für 100 000 Yen? ↘	Einen Moment. ↘ 100 000 Yen, → das sind 920 Euro. ↘
Kann ich Ihnen helfen? ↗	Ja, → bitte. ↘ Haben Sie hier keine Sofas? ↗
Nein, → leider nicht. ↘ Tut mir Leid. ↘	
Doch, → natürlich. ↘ Kommen Sie bitte mit. ↘	
Was für eins suchen Sie denn? ↘	Ich weiß auch nicht genau ... →
Hier haben wir ein **Sonderangebot**: → 159 Euro. ↘	Ja, → das geht. ↘ Gut, → das nehme ich. ↘
Funktioniert der Kühlschrank? ↗	Ja, → natürlich. ↘
Haben Sie jetzt Zeit? ↗	Ja, → aber kommen Sie gleich. ↘
Gut, → bis gleich. ↘ Auf Wiederhören. ↘	Wiederhören. ↘
Wie lange wohnst du denn schon hier? ↘	Schon 10 Jahre. ↘ / Erst 6 Monate. ↘ / Fast 2 Jahre. ↘ / Über 5 Jahre. ↘ / Etwa 3 Jahre. ↘

Im Supermarkt

ARBEITSBUCH 1–2

A Papa, kaufst du mir ein Eis?

Bonbon *das, -s*

Luftballon *der, -s*

Lolli *der, -s*

Gummibärchen *das, -*

Kaugummi *der, -s*

Zigarette *die, -n*

Fernsehzeitschrift *die, -en*

Feuerzeug *das, -e*

Spielzeugauto *das, -s*

Schokoriegel *der, -*

Eis *das (nur Sg.)*

Überraschungsei *das, -er*

Lerntipp:

Notieren Sie Nomen immer mit Artikel, Plural und Wortakzent, also: die Zigarette, -n (= kurzer Vokal), das Spielzeugauto, -s (= langer Vokal). Spielen Sie mit den neuen Wörtern: Summen Sie die Wörter, sprechen Sie die Wörter laut und leise, langsam und schnell …

A 1 Was sagen die Kinder? Was antwortet der Vater?

- ● *Ich möchte einen Lolli.* ↘
  - ■ *Nein,→ heute bekommst du keinen.* ↘
- ● *Papa,→ schau mal: → Gummibärchen!* →
  - ■ *Nein,→ heute gibt es keine Gummibärchen.* ↘
  …

A 2 Wer möchte was? Hören Sie und markieren Sie.

34

	der Vater	die Kinder		der Vater	die Kinder
Eis	☐	X	Zigaretten	☐	☐
Luftballon	☐	☐	Feuerzeug	☐	☐
Kaugummi	☐	☐	Lolli	☐	☐
Spielzeugauto	☐	☐	Überraschungsei	☐	☐
Fernsehzeitschrift	☐		Gummibärchen	☐	☐

A 3 Markieren Sie: Wer ist „uns", „euch" ...?

		Merle	Chris	Vater
Merle:	Papa, kaufst du **uns** ein Eis?	X	X	
Vater:	Nein, ich kaufe **euch** heute kein Eis.			
Merle:	Kaufst du **mir** einen (Luftballon)?			
Vater:	Nein, Merle, ich kaufe **dir** heute auch keinen Luftballon.			
Chris:	Schenkst du **mir** das (Auto) zum Geburtstag?			
Vater:	Gebt ihr **mir** mal eine Schachtel Zigaretten?			
Merle:	Ich gebe **ihm** das Feuerzeug!			
Vater:	Chris! Du gibst **ihr** jetzt sofort das Feuerzeug zurück!			
Merle:	Kaufst du **uns** Überraschungseier?			
Der Vater kauft **ihnen** keine Süßigkeiten.				

Was ist richtig? Markieren Sie bitte.

> **!** 1 Die Dativ-Ergänzung ist fast immer ☐ eine Person. ☐ eine Sache.
>
> 2 Die Dativ-Ergänzung steht meistens ☐ links von der Akkusativ-Ergänzung. ☐ rechts von der Akkusativ-Ergänzung.

geben	
ich	gebe
du	gibst
sie, er, es	gibt
wir	geben
ihr	gebt
sie	geben

ARBEITSBUC 3–4

A 4 Markieren Sie das Verb und die Akkusativ-Ergänzung.

1 (Kaufst) du uns [ein Eis] ?
2 Ich (möchte) auch [ein Eis] !
3 Nein, ich kaufe euch heute   kein Eis .
4 Gebt ihr mir mal   eine Schachtel Zigaretten   ?
5 Ich gebe ihm das Feuerzeug !
6 Schenkst du mir das (Auto) zum Geburtstag?
7 Kaufst du uns Überraschungseier ?
8 Wir haben doch noch Überraschungseier zu Hause.
9 Heute bekommst du keine Zigaretten !

A 5 Schreiben Sie die Sätze aus A 4.

...	Verb	...	Dativ-Ergänzung	...	Akkusativ-Ergänzung	...
1	*Kaufst*	*du*	*uns*		*ein Eis?*	
2	*Ich*	*möchte*			*auch*	*ein Eis!*
3						
4						
5						
6						
7						
8						
9						

Welche Verben haben eine Akkusativ-Ergänzung **und** eine Dativ-Ergänzung?

Verb + | Dativ-Ergänzung | *kaufen,*
| Akkusativ-Ergänzung |

Welche Verben haben **nur** eine Akkusativ-Ergänzung?

Verb + | Akkusativ-Ergänzung | *möchten,*

ARBEITSBUC 5–7

A 6 **Spielen Sie in Gruppen: Gibst du mir ... ? Dann geb' ich dir ...**

Sie möchten ...

> *Gruppe 1* eine Weltreise machen.   *Gruppe 3* einen gebrauchten Kühlschrank kaufen.
> *Gruppe 2* gemütlich fernsehen.   *Gruppe 4* ein Toastbrot machen.

Sie haben ...

1 Weltreise	2 Fernsehen	3 Kühlschrank	4 Toastbrot
Telefon	Pass	Sessel	Anzeigenzeitung
Käse und Schinken	Geld	Messer	Tickets
Koffer	Toaster	Zettel und Kugelschreiber	Brot
Wasser oder Bier	Fernseher	Reiseschecks	Erdnüsse

Schreiben Sie die Zettel für Ihre Gruppe.

Diskutieren Sie:

Welche vier Sachen sind wirklich wichtig für unser „Projekt"?
Was haben wir schon?
Was brauchen wir noch?
Wer hat das?

Jetzt tauschen Sie.

Habt ihr ... ?   *Braucht ihr ... ?*   *Gebt ihr uns ... ? Dann geben wir euch ...*
Hast du ... ?   *Brauchst du ... ?*   *Gibst du mir ... ? Dann gebe ich dir ...*

B **Beim neunten Nein kommen die Tränen**

B 1 **Sprechen Sie über das Bild und erzählen Sie eine Geschichte.**

die Mutter ◆ das Kind ◆ die Leute ◆ die Kassiererin ◆ die Kasse ◆ ...
möchten ◆ sein ◆ haben ◆ warten ◆ weinen ◆ lachen ◆ kaufen ◆ geben ◆ nicht funktionieren ◆ ...
an der Kasse ◆ im Supermarkt ◆ keine Zeit ◆ kein Geld ◆ (keine) Süßigkeiten ◆ ...
(zu) teuer ◆ traurig ◆ fröhlich ◆ nervös ◆ sauer ◆ ...

● *Die Leute sind im Supermarkt. Sie warten an der Kasse.*
  Die Kasse funktioniert nicht. ...

▼ *Das Kind weint. Es möchte ...*

„weinen" – „lächeln" – „lachen"
„traurig" – „fröhlich"

Lesen Sie den Text und markieren Sie.

1 Tanja und ihre Mutter
  - ☒ warten an der Kasse.
  - ☐ kaufen Süßigkeiten.

2 Frau Meier
  - ☐ ist die Kassiererin.
  - ☐ ist eine Nachbarin.

3 Tanja möchte
  - ☐ nach Hause.
  - ☐ Gummibärchen.

4 Tanja
  - ☐ schreit.
  - ☐ weint.

5 Das Kind heißt
  - ☐ Tanja Jünger.
  - ☐ Tanja Meier.

6 Der Text ist
  - ☐ eine Werbung für Süßigkeiten.
  - ☐ eine Geschichte aus dem Supermarkt.

leise flüstern

sprechen

laut schreien

Beim neunten ~~Nein~~ *Nein* kommen die Tränen

Ich warte wieder einmal an der Kasse im Supermarkt. Von drei Kassen ist nur eine geöffnet. Ich beobachte meine Tochter Tanja. Sie steht vor den Süßigkeiten: links Kaugummis, rechts Schokoriegel, oben Gummibärchen, unten Überraschungseier. Und schon geht es los: „Mama? Kaufst du mir …?" „Nein." „Nur eins, bitte!" „Nein!" „Bitte, bitte!" Die Leute schauen, aber ich bleibe hart: „Nein, Tanja,
5 nicht vor dem Essen." – „…"
Da höre ich eine freundliche Stimme: „Ach, Frau Jünger! Guten Tag. Wie geht es Ihnen?" „Danke, gut.", antworte ich. „Und Ihnen, Frau Meier?" Frau Meier ist unsere Nachbarin. Tanja weiß: Frau Meier ist ihre Chance! „Mama, schau mal, Gummibärchen." „Nein." „Bitte, bitte!" „Nein, heute nicht!"
Beim neunten Nein kommen die Tränen. Alle Leute schauen zu Tanja. Meine Tochter schreit nicht,
10 sie sagt kein Wort. Sie steht nur da und weint … und weint … und weint … Niemand sagt ein Wort. Sogar die Kassiererin flüstert: „Zehn Euro siebenundachtzig, bitte." Tanja weint ein bisschen lauter. Jetzt schauen alle Leute zu mir. Was mache ich nur? Kaufe ich ihr jetzt Gummibärchen oder kaufe ich ihr keine?

Diskutieren Sie zu dritt oder zu viert: Was machen Sie in dieser Situation?

＋ Ich kaufe ihr Gummibärchen.

Ich möchte keinen Streit im Supermarkt.
Gummibärchen sind nicht teuer.
Sie weint doch!
Und die Leute? Das ist mir peinlich.
…

— Ich kaufe ihr keine Gummibärchen.

Kinder möchten immer alles haben. Das geht nicht.
Zu viele Süßigkeiten sind nicht gut für Kinder.
Na und? Sie hört auch wieder auf.
Das ist mir egal. Kinder brauchen manchmal ein „Nein".
…

● *Ich glaube, ich kaufe ihr die Gummibärchen.*
■ *Das finde ich nicht richtig. Ich kaufe ihr keine Gummibärchen!*
▲ *…*

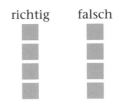

B 4 **Lesen Sie weiter und markieren Sie.**

	richtig	falsch
1 Frau Jünger kauft Tanja eine Tüte Gummibärchen.	▢	▢
2 Tanja weint nicht mehr.	▢	▢
3 Alle Leute im Supermarkt bekommen ein Gummibärchen.	▢	▢
4 Der Supermarkt verkauft viele Süßigkeiten an der Kasse.	▢	▢

Ohne ein Wort nehme ich eine Tüte. Jetzt lächelt Tanja wieder. Ich mache die Tüte auf und gebe ihr ein rotes Gummibärchen. Rot ist Tanjas Lieblingsfarbe. Tanja ist zufrieden. Sie sagt nicht „Danke", aber der ganze Supermarkt sagt *„Danke"*.

Es geht um viel Geld. Süßigkeiten an der Kasse verkaufen sich 14-mal besser als im Regal. Aber es geht auch um unsere Kinder.

Deshalb:

Keine Süßigkeiten und keine Spielsachen an der Kasse!

„Keine Süßigkeiten und keine Spielsachen an der Kasse!" – Was meinen Sie?

B 5 **Lesen Sie den Text noch einmal, markieren Sie die Personalpronomen und ergänzen Sie die Tabelle.**

Das Personalpronomen steht für Name/Person:

Ich beobachte meine Tochter **Tanja**. **Sie** steht vor den Süßigkeiten. Und schon geht es los: *„Mama*? Kaufst *du* **mir** … ?"

Nom.:	ich	du	sie	er/es	wir	ihr	sie	Sie
Dativ:	____	*dir*	____	*ihm*	____	*euch*	____	____

B 6 **Ergänzen Sie die passenden Personalpronomen.**

Herr Krause und sein Sohn Patrick sind im Supermarkt, _sie_ warten an der Kasse. Patrick möchte Süßigkeiten: „Papa, kaufst _____ _____ Gummibärchen? Bitte!"

Herr Krause denkt: „Immer Süßigkeiten! Das ist nicht gut für Patrick." _____ sagt: „Nein, Patrick, heute kaufe _____ _____ keine Gummibärchen. _____ haben noch Süßigkeiten zu Hause."

Jetzt weint Patrick. _____ denkt: „Papa ist gemein. Gut, dann weine _____ halt. Dann schauen alle Leute zu _____ . Das gefällt _____ nicht. Vielleicht kauft _____ _____ ja dann Gummibärchen." Patrick weint ein bisschen lauter.

Herr Krause ist nervös: Alle Leute schauen zu _____ . Aber _____ bleibt hart: „Nein, heute nicht! Hör auf zu weinen! Alle Leute schauen schon zu _____ ."

Die Kassiererin denkt: „Warum kauft _____ _____ nicht endlich die Gummibärchen? Die sind doch nicht teuer!" Aber _____ sagt nur: „Das macht 18 Euro 60."

Herr Krause gibt _____ einen Fünfzigeuroschein und sagt: „Immer Tränen an der Kasse – das gefällt _____ doch sicher auch nicht. Warum stellen _____ die Süßigkeiten nicht ins Regal?"

C 1 Lesen Sie die Sonderangebote, hören Sie die Durchsagen und ergänzen Sie die Preise.

100 Gramm Camembert	_0,78_ €	eine Tafel Schokolade	_____ €
Tiefkühl-Pizza	_____ €	fünf Kilo Kartoffeln	_____ €
ein Kilo Lammfleisch	_____ €	ein Kasten Bier	_____ €
3-Kilo-Paket Waschmittel	_____ €	ein halbes Pfund Butter	_____ €
ein Kilo Äpfel	_____ €	1-Liter-Flasche Orangensaft	_____ €
eine Dose Tomaten	_____ €		
tiefgekühlte Fischfilets	_____ €		

man schreibt	man sagt
3,48 €	drei Euro achtundvierzig
1,– €	ein Euro
0,99 €	neunundneunzig Cent

Fragen und antworten Sie.

● *Wie viel kostet der Camembert?*   ▲ *Was kosten die Kartoffeln?*
■ *100 Gramm kosten ... Euro ...*   ▼ *...*

C 2 Sprechen Sie über das Bild: Wo findet man … ?

Wo findet man Fisch? ↘   *Fisch?* ↗ *Vielleicht bei der Tiefkühlkost.* ↘
Und Waschmittel? ↗   *Ich glaube,* → *bei den Haushaltswaren.* ↘
Und wo … ?   *Bei …*

Wo?	f	m	n
Singular:	**bei der** Tiefkühlkost	**beim** Käse	**beim** Gemüse / Obst
Plural:	**bei den** Getränken / Gewürzen / Haushaltswaren / Milchprodukten / Spezialitäten …		

ARBEITSBUCH
17

C 3 Wer möchte was? Wer sucht was? Hören und markieren Sie.

36

Die Kundin / Der Kunde möchte

Dialog

☐ einen Salat machen.

1 einen Kuchen backen.

☐ leere Flaschen zurückgeben.

Die Kundin / Der Kunde sucht

Dialog

☐ Quark.

☐ Hefe.

☐ Sardellen.

☐ die Leergut-Annahme.

☐ die Kasse.

C 4 Wer sagt das? Markieren Sie.

K *die Kundin / der Kunde*   A *die Angestellte / der Angestellte*

K Entschuldigung …

☐ Können Sie mir helfen?

☐ Was suchen Sie denn?

☐ Wo finde ich denn … ?

☐ Vielen Dank.

☐ Keine Ursache.

☐ Kann ich Ihnen helfen?

☐ Nichts zu danken.

☐ Entschuldigen Sie bitte …

☐ Ich suche …

☐ Danke.

☐ Bitte, bitte.

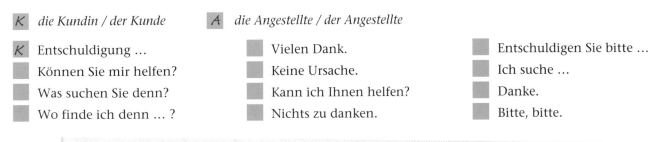

Entschuldigen Sie **bitte**, …
(So beginnt man oft ein Gespräch.)
Kann ich Ihnen helfen? *(ein Angebot)*
Hefe finden Sie bei den *Milchprodukten*.
Vielen Dank. *(am Ende)*

Ja, bitte. *(„Ich helfe Ihnen gern. Was möchten Sie?")*

Ja, bitte. *(Antwort auf ein Angebot: „Ja, bitte helfen Sie mir.")*
Wie bitte? *(„Ich verstehe nicht. Bitte noch einmal.")*
Bitte. / Bitte, bitte. / Bitte sehr. *(Antwort auf „danke")*

36

Hören Sie noch einmal und vergleichen Sie.

Arbeiten Sie zu zweit und spielen Sie „Supermarkt".

Partner A:
Das ist Ihr Supermarkt. Wo steht was?
Ergänzen Sie.

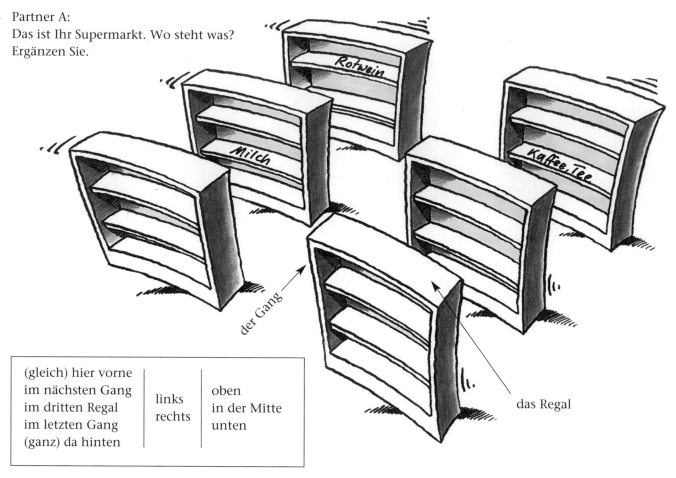

der Gang

das Regal

(gleich) hier vorne im nächsten Gang im dritten Regal im letzten Gang (ganz) da hinten	links rechts	oben in der Mitte unten

Partner B:
Was brauchen Sie? Schreiben Sie einen Einkaufszettel.

2 Milch
Butter
...

Brot ◆ Butter ◆ Curry ◆ Eier ◆ Eis ◆ Fisch ◆
Gulasch ◆ Joghurt ◆ Kaffee ◆ Kartoffeln ◆ Käse ◆
Kaugummis ◆ Kuchen ◆ Mehl ◆ Milch ◆ Mineralwasser ◆
Pfeffer ◆ Pizza ◆ Putzmittel ◆ Reis ◆ Salat ◆ Schinken ◆
Schokolade ◆ Tee ◆ Tomaten ◆ Waschmittel ◆ Wein ◆
Würstchen ◆ Zeitungen ◆ Zigaretten ◆ Zucker ◆ ...

Jetzt fragen und antworten Sie. Partner A schreibt dabei den Einkaufszettel von Partner B, Partner B ergänzt den Plan im Buch.

● *Entschuldigen Sie,→ wo finde ich Milch?* ↘
    ■ *Milch?* ↗ *Gleich hier vorne links.* ↘

● *Entschuldigung,→ wo gibt es … ?* ↘
    ■ *Im nächsten Gang rechts.* ↘ *Das steht unten,→ bei …* ↘

● *Können Sie mir helfen?* ↗ *Ich suche Tee.* ↘
    ■ *Tee?* ↗ *Ich glaube,→ da hinten rechts.* ↘
    ■ *Tut mir Leid,→ das weiß ich auch nicht.* ↘

Vergleichen Sie die Pläne und die Einkaufszettel.

D Der Ton macht die Musik

D 1 Hören Sie und singen Sie mit.

37

Bruder Jakob
im Supermarkt

1 Oh, Verzeihung …
Oh, Verzeihung …

2 Bitte sehr?
Bitte sehr?

3 Können Sie mir helfen?
Können Sie mir helfen?

4 Kein Problem.
Kein Problem.

D 2 Jetzt schreiben Sie ein paar Strophen.

1 Wo gibt's hier denn … ?
Ich brauch' auch noch …
Und wo ist | die | … ?
| der |
| das |

2
Erdbeereis	◆ Weizenbier	◆ Dosenmilch
Kopfsalat	◆ Buttermilch	◆ Hammelfleisch
Klopapier	◆ Camembert	◆ Apfelsaft
Magerquark	◆ frische(n) Fisch	◆ Erdnussöl

3 Die | ist ganz da hinten.
Der | ist gleich hier vorne.
Das |
Nächster Gang links oben.
In der Tiefkühltruhe.
Letzter Gang rechts unten.

… ? | Die | gibt's nicht.
| Den |
| Das |
Kommt erst nächste Woche.
Weiß ich leider auch nicht.

4 Vielen Dank!
Danke sehr!
Danke schön!
So ein Mist!
Dann halt nicht!

ARBEITSBUCH
18–22

E Im Feinkostladen

E 1 Was gibt es im Feinkostladen? Raten Sie mal!

Gibt es hier Waschmittel? ↗
Gibt es hier Gewürze? ↗

—

?

+

Nein. ↘ *Das ist doch ein Feinkostladen.* ↘
Ich glaube nicht. ↘
Ich weiß nicht. ↘
Vielleicht. →
Ich glaube, ja. ↘
Ja, natürlich. ↘

E 2 **Was kauft der Kunde? Hören und markieren Sie.**

Butter ⟨Butterkäse⟩ Dosenmilch Kaffee Tee Orangen Kandiszucker Walnussöl Wein

geschnitten 1 kg 1 Pfund ¹/₂ Pfund 100g ¹/₄ l 1 Tüte 1 Paket 1 Dose 1 Flasche

E 3 **Wer sagt was? Was kommt zuerst? Markieren Sie bitte.**

K = Kunde   *V = Verkäuferin*

1	*K*	Guten Tag.
	V	Guten Tag. Sie wünschen?

___ Darf's noch etwas sein?
___ Nein, danke. Das wär's.
___ Das macht dann 9 Euro 20.
___ Möchten Sie vielleicht eine Tüte?

___ Aber natürlich. Eine kleine Flasche,
    das ist ein Viertel Liter?
___ Ja, sehr gut.

2 ___ Ich hätte gern ein halbes Pfund
    Butterkäse.
___ Am Stück oder geschnitten?
___ Geschnitten, bitte.
___ Darf's ein bisschen mehr sein?
    265 Gramm?

___ Nein, danke. Das geht so.
    Wiedersehen!
___ Vielen Dank und auf Wiedersehen!

___ Ja, das ist in Ordnung.
___ Sonst noch etwas?
___ Haben Sie auch Jasmintee?

___ Ja. Ein Paket Kandiszucker, bitte.
___ Bitte sehr. Sonst noch etwas?
___ Ich brauche noch Öl. Haben Sie Walnussöl?

___ 100 Gramm zu 3,75.
___ Ja, gut, den probiere ich mal. Aber bitte nur
    eine kleine Tüte, nur 50 Gramm.
___ Haben Sie noch einen Wunsch?

___ Nein leider nicht. Aber wir haben zurzeit einen
    sehr guten Darjeeling im Angebot.
___ Was kostet der denn?

 Hören Sie noch einmal und vergleichen Sie.

ARBEITSBU
23–25

E 4 **Schreiben Sie einen Einkaufszettel und spielen Sie „Einkaufen".**

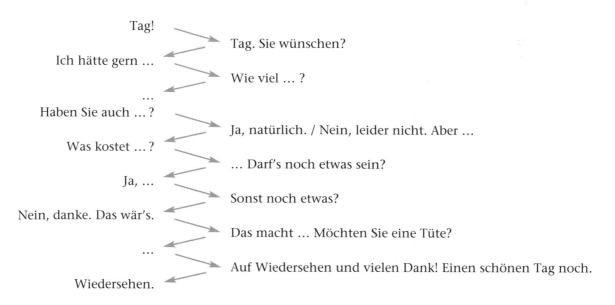

Tag! → Tag. Sie wünschen?

Ich hätte gern …

… → Wie viel … ?

Haben Sie auch … ?

Was kostet … ? → Ja, natürlich. / Nein, leider nicht. Aber …

Ja, … → … Darf's noch etwas sein?

→ Sonst noch etwas?

Nein, danke. Das wär's. → Das macht … Möchten Sie eine Tüte?

… → Auf Wiedersehen und vielen Dank! Einen schönen Tag noch.

Wiedersehen.

F Zwischen den Zeilen

F 1 **Wie sind die Dialoge? Hören und markieren Sie.**

Was macht den Dialog freundlich? Diskutieren Sie.

	☺	☺	☹
Dialog 1	X		
Dialog 2			
Dialog 3			

> schnell/langsam sprechen ◆ Entschuldigung, … ◆
> Tut mir Leid, … ◆ viel / wenig Information ◆
> Satzmelodie nach oben (↗) ◆ Satzmelodie nach unten (↘)

F 2 **„Tut mir Leid" oder „Entschuldigung" / „Entschuldigen Sie"**

1   _Entschuldigen Sie_____ , wo gibt es hier Hefe?
   Ich weiß auch nicht genau. Schauen Sie doch mal bei den Milchprodukten, ganz da hinten links.

2   _____ , können Sie mir helfen? Wo finde ich frischen Fisch?
   _____ , wir haben keinen frischen Fisch. Fisch gibt es nur bei der Tiefkühlkost.

3   _____ , ich suche Erdnussöl.
   _____ , das haben wir nicht mehr. Das bekommen wir erst nächste Woche wieder.

4   _____ , wo ist denn hier die Leergut-Annahme?
   _____ , das weiß ich auch nicht.

Hören und vergleichen Sie. Dann ergänzen Sie die Regel.

> ❗ „Entschuldigung, …" und „Tut mir Leid, …" sind „Höflich-Macher".
> Sie machen einen Dialog höflich und freundlich.
> Mit _____ beginnt man oft ein Gespräch.
> _____ steht oft vor Antworten mit „nicht" oder „kein".

Üben Sie zu zweit: zuerst ohne „Höflich-Macher", dann mit „Höflich-Machern".

ARBEITSBUCH
26–28

G Gib mir doch mal einen Tipp!

G 1 **Was passt zusammen? Wie viele Personen sprechen? Wo sind die Leute?**
Hören und ergänzen Sie.

im Deutschkurs ◆ in der Kneipe ◆ im Büro

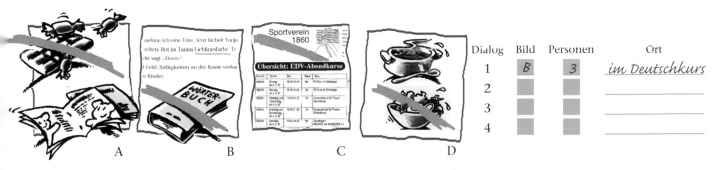

Dialog	Bild	Personen	Ört
1	B	3	_im Deutschkurs_
2			_____
3			_____
4			_____

A   B   C   D

G 2 Was passt zusammen? Lesen und markieren Sie.

1 Was heißt denn „Lieblingsfarbe"? _c, j_

2 Ich möchte den Kindern eine Kleinigkeit mitbringen. Hast du eine Idee? _____

3 Nach dem Volleyball habe ich immer Hunger. _____

4 Du kennst doch die Kneipe hier. Gib mir mal einen Tipp. _____

5 Herr Ober! Ich möchte eine Kleinigkeit essen. Geben Sie mir doch mal einen Tipp. _____

6 Wir möchten mehr Deutsch sprechen und mehr Kontakt mit Deutschen haben. _____

a) Macht doch einen Kurs bei der Volkshochschule!

b) Dann iss doch etwas!

c) Schau doch ins Worterbuch!

d) Bestell doch eine Gulaschsuppe.

e) Kauf ihnen doch ein paar Süßigkeiten!

f) Nehmen Sie eine Gulaschsuppe. Die ist heute sehr gut.

g) Kauf ihnen Bilderbücher – das passt immer.

h) Nimm doch einen Salat! Der ist wirklich gut hier.

i) Geht in einen Verein!

j) Frag doch die Lehrerin!

 41-44 Hören Sie noch einmal und vergleichen Sie. Dann üben Sie zu zweit.

G 3 Der Imperativ: Vergleichen Sie die Sätze und ergänzen Sie.

	Fragesatz	Imperativsatz (Ratschlag, Bitte)
du	**Kaufst du** ihnen ein paar Süßigkeiten? ↗	**Kauf** ihnen _doch_ ein paar Süßigkeiten. ↘
	Gibst du mir einen Tipp? ↗	**Gib** mir _mal_ einen Tipp. ↘
ihr	**Macht ihr** einen Kurs? ↗	**Macht** einen Kurs! ↘
	Geht ihr in einen Verein? ↗	**Geht** in einen Verein! ↘
Sie	**Geben Sie** mir einen Tipp? ↗	**Geben Sie** mir _doch mal_ einen Tipp! ↘
	Nehmen Sie eine Gulaschsuppe? ↗	**Nehmen Sie** eine Gulaschsuppe. ↘

> **!**   Am Ende ◆ am Anfang ◆ „doch" und „mal" ◆ „du" und „ihr"
>
> Im Imperativsatz steht das Verb _____ .
> Es gibt kein _____ und keine „-st"-Endung.
> _____ steht oft ein Ausrufezeichen („!").
> Die Wörter _____ machen den Ratschlag oder die Bitte freundlich und höflich.

G 4 Spielen Sie zu zweit oder zu dritt.

ARBEITSBUC 29–30

Ein wirklich netter Besuch

> Platz nehmen ◆ noch ein Stück Kuchen essen ◆ noch eine Tasse Kaffee trinken ◆
> noch etwas bleiben ◆ zum Abendessen bleiben ◆ noch ein Bier trinken ◆ _noch_ ein Bier trinken ◆
> ein Taxi nehmen ◆ bald wieder mal zu Besuch kommen ◆ gut nach Hause kommen

Zu zweit:
Komm doch herein.   **Kommen Sie** doch herein.
Nimm Platz.   Nehmen Sie ...
...

Zu dritt:
Kommt doch herein.   **Kommen Sie** doch herein.
Nehmt ...   Nehmen Sie ...

Ein paar Antworten:
Vielen Dank.
Ja, gerne.
Nein, danke.
Na gut.
Das ist eine gute Idee.
Ach nein.
Lieber nicht.
Gern, danke.
Oh, es ist schon spät!

G 5 **Schreiben Sie ein Problem auf einen Zettel.**

Ein paar Probleme:

… hat Geburtstag. Sie möchten ein Geschenk kaufen.
Sie sind im Kaufhaus. Es gibt ein Sonderangebot, aber Sie haben zu
    wenig Geld dabei.
Sie sind unterwegs und haben Hunger oder Durst.
Sie brauchen einen Teppich, aber Sie haben nicht viel Geld.
Die Kinder möchten immer fernsehen – Sie möchten das nicht.
Sie brauchen die Telefonnummer von …
Sie möchten besser Deutsch lernen.

Meine Kollegin hat nächste Woche Geburtstag. Ich möchte ihr etwas schenken. Habt ihr eine Idee?

Arbeiten Sie zu dritt oder zu viert. Bitten Sie um Rat und geben Sie Ratschläge.

Helft mir doch mal! ◆ Habt ihr eine Idee? ◆ Gebt mir doch mal einen Tipp.

Ein paar Tipps:

Frag doch die anderen Kollegen!
Verkauf doch den Fernseher!
Geh doch zu … – da gibt es günstige Sonderangebote.
Kauf dir doch …
Schau doch mal ins …
…

Ein paar Antworten:

Ich weiß nicht.
Das finde ich nicht so gut.
Habt ihr noch andere Ideen?
Das ist eine gute Idee.
Genau! …
Stimmt! …

ARBEITSBUCH
31–32

Eine Bildgeschichte

H Kurz & bündig

Der Dativ § 9, 13, 27

Mama, kaufst du **mir** einen Lolli?
Papa, kaufst du **uns** ein Eis?
Ich gebe **ihm** das Feuerzeug!
Der Vater kauft **ihnen** keine Süßigkeiten.

Nein, ich kaufe **dir** keinen Lolli.
Nein, ich kaufe **euch** heute kein Eis.
Du gibst **ihr** jetzt sofort das Feuerzeug zurück!

Ortsangaben § 16, 17, 18

Kaffee? **Im nächsten Gang rechts oben.**
Joghurt? **Bei den Milchprodukten.**
Die sind **im ersten, zweiten, nächsten, dritten, ... letzten** Gang/Regal.

Pizza? **Bei der Tiefkühlkost.**
Süßigkeiten? Die finden Sie **an der Kasse.**

Verpackungen, Maße und Preise § 21

Ich hätte gern **ein halbes Pfund** Butterkäse.
Geschnitten. Und **einen Kasten** Bier, bitte.
Dann möchte ich noch eine Tiefkühl-Pizza.
Ja, bitte. Und **zwei Dosen** Tomaten.
Ja, gut. Was kosten die Überraschungseier?
Eins, bitte. Und **einen Liter** Milch.
Eine Flasche. Und **ein Paket** Waschpulver.
3 Kilo. Und **ein Viertel (Pfund)** Wurst, bitte.
Das wär's dann.

Am Stück oder **geschnitten?**
„Mirdir" ist im Sonderangebot: nur **9 (Euro) 95.**
Die **400-Gramm-Packung?**
Wir haben nur frische Tomaten. **Ein Pfund?**
45 Cent das Stück.
Eine Tüte oder **eine Flasche?**
Das **3-Kilo-Paket** oder das **5-Kilo-Paket?**
125 Gramm Wurst. Noch etwas?
Das macht zusammen **14 (Euro) 50.**

Der Imperativ § 10, 26

Was heißt denn „Lieblingsfarbe?"
Wir möchten eine Kleinigkeit essen.
Sprechen Sie über das Bild und **erzählen Sie** eine Geschichte. ↘

Schau *doch mal* ins Wörterbuch. ↘ Oder **frag** die Lehrerin. ↘
Nehmt *doch* eine Gulaschsuppe. ↘

Nützliche Ausdrücke

Entschuldigung,→ können Sie mir helfen? ↗
Wo finde ich Walnussöl? ↘
Gibt es hier auch Sardellen? ↗
Vielen Dank. ↘

Ja, bitte. ↘ Was suchen Sie denn? ↘
Tut mir Leid,→das weiß ich nicht. ↘
Ja, natürlich. ↘ Bei den Spezialitäten. ↘
Bitte (, bitte). ↘

Ich hätte gern ein ½ Pfund Butterkäse. ↘
Ja,→ das ist in Ordnung. ↘
Haben Sie auch Jasmintee? ↗

Darf's ein bisschen mehr sein? ↗

Nein,→leider nicht. ↘ Aber wir haben einen sehr guten Darjeeling im Angebot. ↘

Ja,→gut. ↘ Den probiere ich mal. ↘
Eine Dose Tomaten,→ bitte. ↘
Nein,→danke. ↘ Das wär's. ↘

Haben Sie noch einen Wunsch? ↗
Sonst noch etwas? ↗
Das macht 9 (Euro) 65. ↘

Ich möchte ihr etwas schenken. ↘ Habt ihr eine Idee? ↗
Stimmt! ↘ Das ist eine gute Idee. ↘

Kauf ihr doch ein Buch ↘ – das passt immer. ↘

Kommt herein und nehmt Platz. ↘
Bleibt doch noch etwas und trinkt noch ein Bier. ↘
Kommt gut nach Hause. ↘

Vielen Dank. ↘ ... Oh, es ist schon spät. ↘
Lieber nicht. ↘ ... Na gut. ↘

Zwischenspiel

Sie brauchen vier Spielfiguren und einen Würfel.

Spielen Sie zu viert.

Das Wiederholungsspiel

Spielregeln:

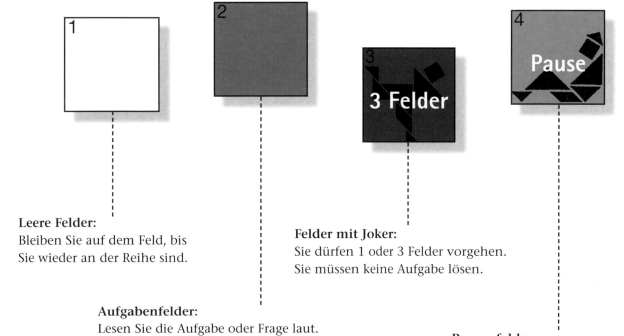

Leere Felder:
Bleiben Sie auf dem Feld, bis Sie wieder an der Reihe sind.

Felder mit Joker:
Sie dürfen 1 oder 3 Felder vorgehen.
Sie müssen keine Aufgabe lösen.

Aufgabenfelder:
Lesen Sie die Aufgabe oder Frage laut.
Lösen Sie die Aufgabe oder beantworten Sie die Frage.

– Richtige Lösung:
  Gehen Sie auf das nächste leere Feld vor.

– Keine oder falsche Lösung: Gehen Sie auf das
  nächste leere Feld zurück.

Pausenfelder:
Sie müssen einmal Pause machen.

START

1

2 3 Felder

3 Nennen Sie drei (Haushalts-) Geräte.

4 Nennen Sie drei Wörter mit dem Artikel *die.*

5

6 Woher kommen Ihre Mitspieler?

7 Was ist das Gegenteil von *interessant?*

8 Bestellen Sie:

9

10 Sie haben 1000 € und brauchen Dollar. Sie gehen zur Bank. Was sagen Sie?

11 1 Feld

12

13 Was sagen die Leute?

14 Nennen Sie drei Möbel.

15 Wie ist Ihre Telefon-nummer?

16

17 Pause

18 Was sagt das Kind?

19 3 Felder

20 Wie finden Sie den Stuhl?
298,–

21 Welche Sprachen sprechen Sie?

22

23 Fragen Sie: Preis?

24 Buchstabieren Sie Ihren Namen.

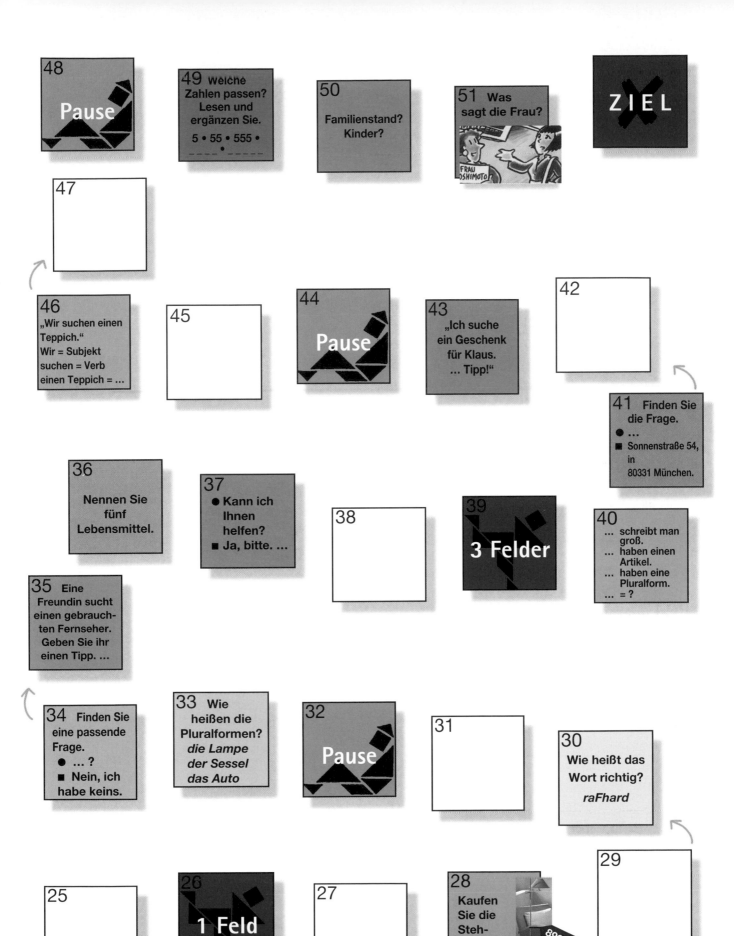

48 Pause

49 Welche Zahlen passen? Lesen und ergänzen Sie.
5 • 55 • 555 • _____

50 Familienstand? Kinder?

51 Was sagt die Frau?

ZIEL

47

46 „Wir suchen einen Teppich."
Wir = Subjekt
suchen = Verb
einen Teppich = ...

45

44 Pause

43 „Ich suche ein Geschenk für Klaus. ... Tipp!"

42

41 Finden Sie die Frage.
● ...
■ Sonnenstraße 54, in 80331 München.

36 Nennen Sie fünf Lebensmittel.

37
● Kann ich Ihnen helfen?
■ Ja, bitte. ...

38

39 3 Felder

40
... schreibt man groß.
... haben einen Artikel.
... haben eine Pluralform.
... = ?

35 Eine Freundin sucht einen gebrauchten Fernseher. Geben Sie ihr einen Tipp. ...

34 Finden Sie eine passende Frage.
● ... ?
■ Nein, ich habe keins.

33 Wie heißen die Pluralformen?
die Lampe
der Sessel
das Auto

32 Pause

31

30 Wie heißt das Wort richtig?
raFhard

29

25

26 1 Feld

27

28 Kaufen Sie die Stehlampe?
899,–

Arbeitsbuch
Lektionen 1–4

Hallo! Wie geht's?

A Willkommen!

1 Ergänzen Sie.

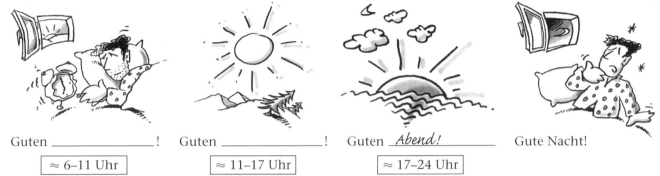

Guten _____!   Guten _____!   Guten _*Abend!*_ ____   Gute Nacht!

| ≈ 6–11 Uhr | ≈ 11–17 Uhr | ≈ 17–24 Uhr |

2 Sortieren Sie die Dialoge.

Wie geht's? ◆ *Entschuldigung, sind Sie Frau Yoshimoto?* ◆ *Wie geht es Ihnen?* ◆ *Gut, danke.* ◆
Hallo, Lisa! Hallo, Peter! ◆ *Danke, gut.* ◆ *Hallo, Nikos!* ◆ *Guten Tag, mein Name ist Bauer.* ◆
Ja. ◆ *Ah, Frau Bauer! Guten Tag.*

● _____

■ _____

▲ _____

■ _____

● _____

■ _____

● _____

■ _____

● _____

■ _____

3 Was „sagen" die Leute? Hören und markieren Sie.

1 ☐ Guten Morgen.   3 ☐ Wie geht's?   5 ☐ Und Ihnen?
    ☐ Guten Tag.   ☐ Wie geht es Ihnen?   ☐ Wie geht es Ihnen?

2 ☐ Guten Tag.   4 ☐ Gut, danke.   6 ☐ Auch gut, danke.
    ☐ Hallo.   ☐ Danke, gut.   ☐ Gut, danke.

Schreiben Sie jetzt den Dialog.   *Guten Morgen. . . .*
Hören und vergleichen Sie.

4 **Ergänzen Sie die Namen.**

Doris Meier: *Mein Familienname ist* <u>Meier</u> .

                Mein Vorname ist _____ .

Julia Meier: *Mein Familienname ist auch* _____ .

                Aber mein Vorname _____ .

Und Sie?   _____

           (Vorname)

           _____

           (Familienname)

KURSBU
B 3-B

5 **Hören und markieren Sie.**

Dialog	Bild	per du	per Sie
1 (eins)	A	X	X
2 (zwei)			
3 (drei)			

● *Dialog eins ist Bild ...*   A   B   C

6 **Ergänzen Sie: „du" oder „Sie".**

1 ● Wie heißen <u>Sie</u> ?   ■ Mein Name ist Raab.

2 ● Ich heiße Daniel, und _____?   ■ Lisa.

3 ● Ich heiße Müller. Und _____?   ■ Spät, Udo Spät.

4 ● Hallo, ich bin Peter! Und wie heißt _____?   ■ Ich heiße Nikos.

5 ● Guten Tag, ich bin Karin Beckmann. Und wie heißen _____?

6 ● Mein Name ist Veronika Winter. Und wie heißen _____?

   ■ Max Weininger.

7 ● Ich heiße Yoko Yoshimoto. Und _____?

   ■ Nikos Palikaris.

8 ● Ich bin Tobias, und _____?

   ■ Ich bin Eva.

KURSBU
B 5

7 **Frage oder Antwort? Ergänzen Sie „?" oder „ ."**

● Wie heißen Sie ?   ■ Mein Name ist Raab .

▲ Ich heiße Weininger   Und Sie   ▼ Spät, Udo Spät

◆ Ich heiße Daniel   Und wie heißt du   ○ Eva

8   **Bilden Sie Sätze und markieren Sie die Verben.**

1   Sie / Wie / heißen / ? _____

2   Yoshimoto / Mein Name / ist / .   *Mein Name (ist) Yoshimoto.*

3   du / Wie / heißt / ? _____

4   heiße / Ich / Nikos / . _____

5   Ihr Name / Wie / ist / ? _____

6   Werner Raab / Ich / heiße / . _____

7   geht / es / Wie / Ihnen / ? _____

KURSBUCH C 1

C   Woher kommen Sie?

9   **Wie heißen die Länder?**

Öster-land	Frank-land	Chi-reich	Eng-da	Argenti-lien
Deutsch-ei	Brasi-chen	Austra-reich	Türk-na	Schweiz-land
	Kana-lien	Ja-nien	Grie-pan	

Österreich, ... _____

_____

_____

KURSBUCH C 2-C 3

10   **Schreiben Sie zwei Dialoge.**

1
KommstduausÖsterreichNeinichkommeausderSch
weizUndduWoherkommstduIchkommeausKanada
ausToronto

2
WoherkommenSieIchkommeausFrankreichUndSieKo
mmenSieausDeutschlandJaausKöln

1   ●   *Kommst du aus Österreich?*   2   ▲ _____

■   *Nein,* _____   ▼ _____

_____   _____

● _____   ▲ _____

Markieren Sie die Akzente. Dann hören und vergleichen Sie.

KURSBUCH C 4-C 7

11 Wie heißen die Berufe? Ergänzen Sie die Spalten.

Leh ◆ Fah ◆ ter ◆ li ◆ Pi ◆ Fri ◆ rer ◆ In ◆ lot ◆ nieur ◆ Po ◆ käu ◆ rer ◆
glei ◆ Flug ◆ fer ◆ Ver ◆ be ◆ ge ◆ seur ◆ zist

die ...in   der ...

1 *Lehrerin*   *Lehrer*
2
3
4
5
6
7
8

12 „Frau ..." oder „Herr ..."? Ergänzen Sie die Namen.

Calvino (Fahrer / Italien)	Jabłońska (Ärztin / Polen)
Hahn (Polizistin / Frankfurt)	Palikaris (Student / Griechenland)
Márquez (Friseur / Spanien)	Kahlo (Verkäuferin / Mexiko)

Frau ...   Herr ...

Frau Hahn   *Herr Calvino*

13 Schreiben Sie bitte.

Herr Calvino kommt aus Italien. Er ist Fahrer von Beruf.
Frau Hahn

Ich heiße   *Ich komme aus*
Ich bin   *von Beruf.*

14 Markieren Sie die Verben und antworten Sie.

1 Wie (heißt) du? _____ .

2 Sind Sie Herr Spät? *Nein, mein Name ist* _____ .

3 Woher kommst du? _____ .

4 Kommen Sie aus Kanada? _____ .

5 Was sind Sie von Beruf? _____ .

6 Bist du Pilot von Beruf? _____ .

15 Ergänzen Sie die Fragen.

1 *Wie geht es Ihnen* _____ ? ■ Danke, sehr gut. (Sie)

2 *Kommst* _____ ? ■ Nein, aus Japan. (du)

3 _____ ? ■ Mein Name ist Jutta Klein. (Sie)

4 _____ ? ■ Nein, Ingenieur. (du)

5 _____ ? ■ Aus Österreich. (du)

6 _____ ? ■ Ich bin Lehrerin. (Sie)

7 _____ ? ■ Nein, mein Name ist Bauer. (Sie)

8 _____ ? ■ Ja, danke. Und Ihnen? (Sie)

16 Was hören Sie: ↗ oder ↘? Ergänzen Sie ↗ oder ↘.

1 Wie ist Ihr Name? ↘

2 Ich heiße Sandra Bauer.

3 Sind Sie Frau Beckmann?

4 Nein, mein Name ist Bauer.

5 Wie heißt du?

6 Sandra. Und du?

7 Woher kommen Sie?

8 Kommen Sie aus Brasilien?

9 Was sind Sie von Beruf?

10 Sind Sie Ingenieurin?

11 Wie geht es Ihnen?

12 Danke, gut. Und Ihnen?

KURSBUCH C 11

D Zahlen

17 Schreiben Sie bitte oder üben Sie zu zweit.

Sie sind in Deutschland. Wie ist die Vorwahl von … ?

● *Entschuldigung, wie ist die Vorwahl von England?*
■ *(Die Vorwahl ist) null-null-vier-vier.*
● *Wie ist …*
■ *…*

Sie sind in …

Wie ist die Vorwahl von Deutschland?

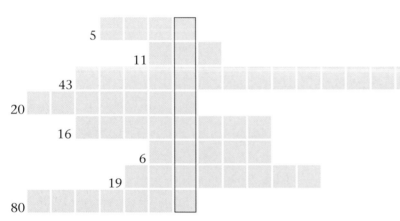

INTERNATIONALE TELEFONVORWAHLEN										
	A	**B**	**CH**	**D**	**DK**	**E**	**F**	**GB**	**I**	**USA**
A Österreich	–	0032	050	060	0045	0034	0033	0044	040	001
B Belgien	0043	–	0041	0049	0045	0034	0033	0044	040	001
CH Schweiz	0043	0032	–	0049	0045	0034	0033	0044	0039	001
D Deutschland	0043	0032	0041	–	0045	0034	0033	0044	0039	001
DK Dänemark	00943	00932	00941	00949	–	00934	00933	00944	00939	001
E Spanien	0743	0732	0741	0749	0745	–	00933	00944	00939	0091
F Frankreich	1943	1932	1941	1949	1945	1934	–	0744	0739	071
GB Grossbritannien	01043	01032	01041	01049	01045	01034	01033	0733	1944	1939	191
I Italien	0043	0032	0041	01049	01045	01034	01033	01039	0101
USA USA	01143	01132	02241	01149	01146	01134	01133	01144	01139	001

ALLE ANGABEN OHNE GEWÄHR

KURSBU
D 3-D

18 Zahlenrätsel

5
11
43
20
16
6
19
80

Lösungswort:

19 Was hören Sie? Markieren Sie.

1	2	3	13	5	15	7	17	9	19	11	67
	3		30		50		70		90		76
2	12	4	14	6	16	8	18	10	34	12	89
	20		40		60		80		43		98

KURSBU
D 5

20 Hören Sie und markieren Sie Ralfs Lottozahlen.

21 Hören und ergänzen Sie.

Die Gewinnzahlen lauten

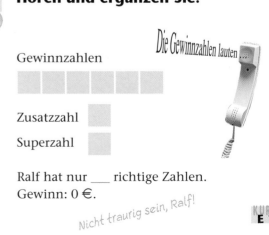

Gewinnzahlen

Zusatzzahl

Superzahl

Ralf hat nur ___ richtige Zahlen.
Gewinn: 0 €.

Nicht traurig sein, Ralf!

KURSBU
E 1-E

E **Zwischen den Zeilen**

22 **Wie sagen die Leute die Telefonnummern? Hören und markieren Sie.**

Entschuldigung, ist da nicht 45 61 23?

1 Meine Telefonnummer ist
   a) 33   44   76
   b) 3- 3- 4- 4- 7- 6

Nein, hier ist 4-5-6-1-2-3.

2 Er hat die Telefonnummer
   a) 2- 8- 3   5- 6   4- 1
   b) 2- 8   3- 5   6- 4- 1

3 Turngemeinde Bornheim – das ist die
   a) 4- 5- 3   4- 9- 0
   b) 45   34   90

4 Restaurant „Waldschänke":
   a) 0- 6- 1- 8- 3   4- 2- 0   3- 5- 9
   b) 0   61   83   42   0 3   59

4-2-7 oder 4-3-7?

5 Die gewünschte Rufnummer lautet
   a) 0- 2- 3- 7- 1   2- 5- 3- 9- 5- 9- 4
   b) 0- 2- 3- 7- 1   2- 5- 3   9- 5   9- 4

Am Telefon: zwo = zwei

23 **Wie sagen Sie Ihre Telefonnummer? Schreiben Sie.**

  0 6 0 7 1 / 3 4 5 6 2 8
   (Vorwahl)   (Telefonnummer)

=   null-sechs-null-sieben-<u>eins</u> ↗ drei-vier-<u>fünf</u> ↗ sechs-zwo-<u>acht</u>. ↘

oder   null-sechs-null-sieben-<u>eins</u> ↗ drei-<u>vier</u> ↗ fünf-<u>sechs</u> ↗ zwo-<u>acht</u>. ↘

oder   null-<u>sechzig</u>-<u>ein</u>undsiebzig ↗ <u>vier</u>unddreißig ↗ <u>sechs</u>undfünfzig ↗ <u>acht</u>undzwanzig ↘

  _____
   (Vorwahl)   (Telefonnummer)

=   _____
   (Vorwahl   (Telefonnummer)

KURSBUCH
F

F Der Ton macht die Musik

24 **Hören Sie und sprechen Sie nach.**

Vokale = **a**, **e**, **i**, **o**, **u**
Der Ton macht die Musik

a	da	Tag	ja	Japan	Kanada
e	der	er	es	geht	zehn
i	wie	Sie	dir	bin	bitte
o	von	Ton	wo	oder	Pilot
u	du	und	gut	zum	Beruf

25 **Ergänzen Sie die Vokale.**

H__ll__   d__nke   d__s   N__me   m__cht   d__e
__st   w__h__r   k__mmen   w__s   s__nd   __hnen
h__er   __ch   F__hrer   L__fth__ns__   __ntsch__ldig__ng
r__cht__g   Fl__gsteig   M__rgen   j__tzt   __lle

10 **Jetzt hören und vergleichen Sie.**

26 **Hören Sie und sprechen Sie.**

- *Wie ist Ihr Name?*   ■ *Woher kommen Sie?*   ● *Was sind Sie von Beruf?*   ● *Wie geht es Ihnen?*
- ■ …   ■ …   ■ …   ■ …
- *Wie bitte?*   ● *Woher?*   ● *Ah ja.*   ● *Auch gut, danke.*
- ■ …   ■ …

Ergänzen Sie den Dialog und üben Sie zu zweit.

27 **Hören und sprechen Sie.**

Hallo, wie geht's? Wie geht es dir?
Wie heißt du? Woher kommst du? Oder bist du von hier?

Guten Tag. Mein Name ist Kanada.
Ich bin Fahrer von Beruf, bei der Lufthansa.

Hallo. Ich bin Yoko Yoshimoto.
Ich komme aus Japan, aus Kyoto.

Entschuldigung, mein Name ist Behn.
Bin ich hier richtig? Ist hier Flugsteig zehn?

Guten Morgen, Herr Behn. Jetzt sind alle da.
Jetzt bitte zum Check-in der Lufthansa.

Üben Sie zu zweit oder zu dritt.

G Deutsche Wörter – deutsche Wörter?

28 Was passt? Ergänzen Sie die Sprache(n).

Arabisch ◆ Chinesisch ◆ Englisch ◆ Französisch ◆ Griechisch ◆ Italienisch ◆
Deutsch ◆ Polnisch ◆ Portugiesisch ◆ Suaheli ◆ Spanisch ◆ Türkisch ◆ …

Brasilien	_____	Marokko	_____
China	_____	Österreich	_____
Deutschland	_____	Portugal	_____
Frankreich	_____	Polen	_____
Griechenland	_____	Schweiz	_____
Italien	_____	Spanien	_____
Kanada	_____	Türkei	_____
Kenia	*Suaheli, Englisch*	…	

Ihr Land: _____

Ihre Sprache: _____

Hören Sie, sprechen Sie nach und vergleichen Sie.

KURSBUCH **G1–G4**

29 Kennen Sie das Wort? Wie heißt das Wort in Ihrer Sprache?

	Meine Sprache:	Bild
der Kindergarten	_____	*C*
das (Sauer)Kraut	_____	
das Schnitzel	_____	
der Zickzack	_____	
der Walzer	_____	
das Bier	_____	

A

B

C

D

E

F

30 **Sortieren Sie die Wörter.**

Flughafen ◆ Nummer ◆ Name ◆ Beruf ◆ ~~Zahl~~ ◆ ~~Text~~ ◆ Rätsel ◆ Wort ◆ Taxi ◆ Pass ◆ Information ◆ Frage ◆ Übung ◆ Land ◆ ~~Telefon~~

der Artikel

die	der	das
die Zahl	*der Text*	*das Telefon*

die **Zahl** [tsaːl]; -, -en: 1. *Angabe einer Menge, Größe:* die Zahl 1 000; zwei Zahlen addieren, subtrahieren, dividieren, multiplizieren; eine gerade *(durch 2 teilbare)* Zahl; genaue Zahlen über das Ausmaß der Katastrophe liegen uns bislang nicht vor. *Syn.:* Nummer, Ziffer. 2. (ohne Plural)

Zahl ⟨f. 20⟩ **1** *der Mengenbestimmung dienende, durch Zählen gewonnene Größe;* Menge, Gruppe, Anzahl **2** die ~ Neun; die ~ der **Mitglieder,** Zuschauer **3** eine ~ **abrunden,** aufrunden; ~ **en addieren,** subtrahieren **4 arabische,** römi-

der **Text** [tɛkst]; -[e]s, -e: 1. *inhaltlich zusammenhängende Aussagen, die schriftlich vorliegen:* ein literarischer Text; einen Text entwerfen, lesen, korrigieren, schreiben; der Text wurde ins Englische übersetzt; der Text des Vertrages bleibt geheim.

Text I ⟨m. 1⟩ **1** *Wortlaut (z. B. eines Vortrags, einer Bühnenrolle, eines Telegramms);* Unterschrift (zu Abbildungen, Karten usw.); Worte, Dichtung (zu Musikstücken; Opern ~, Lieder ~); Bibelstelle als Grundlage für eine Predigt **2** einen ~ (auswendig) **lernen,** lesen **3** ein

das **Tel|e|fon** [teleˈfoːn]; -s, -e: *Apparat, der Gespräche über große Entfernungen möglich macht:* das Telefon läutet, klingelt; Telefon *(ein Anruf)* für dich; ans Telefon gehen. *Syn.:* Apparat, Fernsprecher (*Amtsspr.*). *Zus.:* Autotelefon, Diensttelefon, Kartentelefon, Mobiltelefon.

Te·le·fon ⟨n. 11⟩ ═ Fernsprecher [zu grch. *tele* „fern, weit" + *phone* „Stimme"]
Te·le·fon·an·ruf ⟨m.⟩ *Anruf mittels Telefons,* ⟨meist kurz⟩ *Anruf*
Te·le·fo·nat ⟨n. 11⟩ *Telefongespräch, Anruf*

f → die	m → der	n → das

H Woher und wohin?

31 **„aus" oder „nach"? Ergänzen Sie.**

1 Woher kommst du? – *Aus* München.
2 Wohin möchte Franz? – _____ Spanien.
3 Wohin fliegt Jutta? – _____ Australien.

4 Woher kommt Pablo? – _____ Südamerika.
5 Ich möchte bitte ein Ticket _____ Athen.
6 Woher kommen Sie? _____ Frankreich?

32 **Ergänzen Sie die Fragen.**

Hallo! W*ie* geht's?
W_____ kommen Sie?
W_____ machen Sie hier?
W_____ gehen Sie?
W_____ wohnen Sie?
W_____ ist Ihr Name?
Sprechen Sie Deutsch, Englisch, Arabisch?

72 *zweiundsiebzig*

Testen Sie sich!

Was ist richtig: a, b oder c? Markieren Sie bitte.

Beispiel:
- ● Wie heißen Sie?
- ■ Mein Name _____ Schneider.
  - ☐ a) hat
  - ✗ b) ist
  - ☐ c) heißt

1 ● Wie geht es Ihnen?
■ _____. Und Ihnen?
- ☐ a) Auch gut
- ☐ b) Hallo
- ☐ c) Danke, gut

2 ● Hallo, Eva. _____?
■ Danke, gut.
- ☐ a) Wie geht's
- ☐ b) Wie geht es Ihnen
- ☐ c) Auch gut

3 ● Guten Tag. Mein Name ist Yoshimoto.
■ _____. Mein Name ist Bauer. Willkommen in Deutschland, Frau Yoshimoto.
- ☐ a) Auch gut
- ☐ b) Guten Tag
- ☐ c) Danke, gut

4 ● Ich heiße Daniel. _____?
■ Tobias.
- ☐ a) Und Sie
- ☐ b) Und du
- ☐ c) Und wie ist Ihr Name

5 ● Ich bin Max Weininger. Und wie _____ Sie?
■ Werner Raab.
- ☐ a) heiße
- ☐ b) heißen
- ☐ c) heißt

6 ● Entschuldigung, wie _____ Ihr Name?
■ Ich heiße Spät, Udo Spät.
- ☐ a) ist
- ☐ b) heißen
- ☐ c) heißt

7 ● Woher kommen Sie?
■ _____ Türkei.
- ☐ a) Aus
- ☐ b) Aus den
- ☐ c) Aus der

8 ● Woher _____ du, Maria?
■ Aus Polen.
- ☐ a) kommst
- ☐ b) komme
- ☐ c) kommt

9 ● _____?
■ Sie ist Kellnerin.
- ☐ a) Was ist sie von Beruf
- ☐ b) Woher kommt sie
- ☐ c) Wie heißt sie

10 ● Kommen Sie aus den USA?
■ _____, ich komme aus Australien.
- ☐ a) Ja
- ☐ b) Nein
- ☐ c) Danke

11 ● Ich bin Ingenieurin.
■ _____?
● Ingenieurin.
- ☐ a) Woher kommst du
- ☐ b) Wie heißt du
- ☐ c) Wie bitte

12 ● Wie ist Ihre Telefonnummer?
■ _____.
● Zweiundvierzig, siebenundfünfzig, neunzehn, achtundsechzig? Danke.
- ☐ a) 24 75 90 86
- ☐ b) 42 57 19 68
- ☐ c) 68 19 57 42

13 ● Heißt es „die Radio", „der Radio" oder „das Radio"?
■ _____.
- ☐ a) Die Radio
- ☐ b) Der Radio
- ☐ c) Das Radio

14 ● Ich komme aus Marokko. Ich spreche _____ und etwas Deutsch.
- ☐ a) Arabisch, Französisch
- ☐ b) auf Arabisch, auf Französisch
- ☐ c) Marokko, Frankreich

15 ● _____ möchten Sie?
■ Nach München.
- ☐ a) Woher
- ☐ b) Wohin
- ☐ c) Wie

Selbstkontrolle

1

Frage		Antwort
per Sie	*Guten Tag.*	
per du	*Hallo! Wie geht's?*	

Name:

per Sie	*Wie*
per du	

Land:

per Sie	*Woher*
per du	

Beruf:

per Sie	*Was*
per du	

2 Die Zahlen

0		10		20	
1 *eins*		11		21	
2		12		32	
3		13		43	
4		14		54	
5		15		65	
6		16		76	
7		17		87	
8		18		98	
9		19		99	
10		20		100	

3 Auf Wiedersehen!

per Sie	*Auf Wiedersehen!*
per du	

4 Der Wortakzent

●●	●●	●●●	
danke	*Beruf*	*Französisch*	

Ergebnis:	✔✔	✔	–
1 Fragen und Antworten			
– sagen, wie es einem geht			
– den Namen sagen			
– das Herkunftsland nennen			
– den Beruf nennen			
2 Zahlen von 0 bis 100			
3 sich verabschieden			
4 den Wortakzent erkennen			

Lernwortschatz

Kursiv gedruckte Wörter sind Wortschatz der Niveaustufe A2 oder B1. Diese Wörter müssen Sie nicht für die Prüfung **Start Deutsch 1 / Start Deutsch 1z** lernen.

Nomen

der Abend	_____	die Lehrerin	_____
die Adresse	_____	die Leute (Plural)	_____
die Antwort	_____	der Mann	_____
der Arzt	_____	die Minute	_____
die Ärztin	_____	der Moment	_____
das Beispiel	_____	der Morgen	_____
der Beruf	_____	der Nachname	_____
das Bild	_____	der Name	_____
der Computer	_____	das Neujahr	_____
(das) Deutsch	_____	die Nummer	_____
(das) Deutschland	_____	(das) Österreich	_____
die Entschuldigung	_____	der Pass	_____
(das) Europa	_____	*die Person*	_____
der Fahrer	_____	der Platz	_____
die Familie	_____	*das Radio*	_____
der Familienname	_____	*das Risiko*	_____
der Flug	_____	*die Schokolade*	_____
der Flughafen	_____	die Schweiz	_____
das Foto	_____	das Sofa	_____
die Frage	_____	die Sprache	_____
die Frau	_____	die Stadt	_____
der Freund	_____	der Tag	_____
der Friseur	_____	der Taxifahrer	_____
die Gitarre	_____	der Tee	_____
der Herr	_____	das Telefon	_____
die Information	_____	die Telefonnummer	_____
der Ingenieur	_____	der Text	_____
das Jahr	_____	*der Tourist*	_____
der Kaffee	_____	der Vorname	_____
die Kellnerin	_____	das Wort	_____
das Kind	_____	*die Zahl*	_____
der Kiosk	_____	die Zeit	_____
der Kurs	_____	*der Zettel*	_____
das Land	_____	die Zigarette	_____

Verben

antworten	_____	lernen	_____
arbeiten	_____	lesen	_____
dauern	_____	lieben	_____
entschuldigen	_____	möchten	_____
fliegen	_____	*sagen*	_____
fragen	_____	schreiben	_____
heißen	_____	sind (→ sein)	_____
hören	_____	spielen	_____
ist (→ sein)	_____	sprechen	_____
kennen	_____	suchen	_____
kommen	_____	wohnen	_____
leben	_____		

Adjektive

groß	_____	richtig	_____
gut	_____	willkommen	_____
höflich	_____		

andere Wörter / Ausdrücke

alle	_____	nach (nach Hamburg)	_____
als (Sie arbeitet als Kellnerin.)	_____	nein	_____
auch	_____	nicht	_____
auf Englisch	_____	noch einmal	_____
Auf Wiedersehen!	_____	oder	_____
aus	_____	schon	_____
bei	_____	sehr	_____
bitte	_____	seit	_____
da (Da ist Frau Beckmann.)	_____	tschüs	_____
danke	_____	und	_____
für	_____	*unterwegs*	_____
hallo	_____	viel	_____
heute	_____	*von*	_____
hier	_____	was?	_____
immer	_____	wenig	_____
in	_____	wie?	_____
in der Nähe	_____	wo?	_____
ja	_____	woher?	_____
jetzt	_____	wohin?	_____
man	_____	zum (→ zu)	_____
mit	_____		

Begegnungen

A Zahlen & Buchstaben

1 Sprechen und schreiben Sie diese Zahlen.

16 *sechzehn*___

17 ___

60 ___

66 ___

70 ___

98 ___

134 *(ein)hundertvierunddreißig*___

277 ___

391 ___

409 ___

615 ___

856 ___

14 Hören und vergleichen Sie.

2 Was ist das? Hören Sie und verbinden Sie die Zahlen.

15

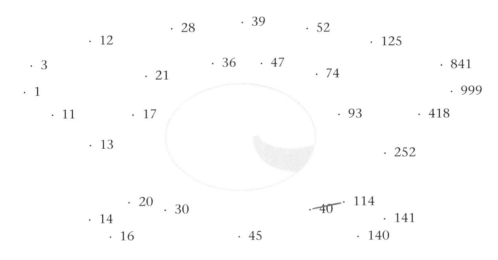

· 28   · 39   · 52

· 12   · 125

· 3   · 36   · 47   · 841

· 21   · 74

· 1   · 999

· 11   · 17   · 93   · 418

· 13   · 252

· 20   · 114

· 14   · 30   · 40   · 141

· 16   · 45   · 140

Das ist ein ___.

3 Schreiben Sie die Zahlen und lösen Sie die Aufgaben.

1 zweihundertvierzig + einhunderteinundsiebzig = ?   *210 + 171 = 411*

2 sechshundertachtunddreißig + einhundertvier = ?   ___

3 siebenhundertneunundzwanzig + zweihundertzwei = ?   ___

4 achthundertsechsundfünfzig – sechshundertvierzig = ?   ___

5 einhundertneunzehn + vierhundertvierzig = ?   ___

6 neunhundertneunundneunzig – dreihundertdreiundsiebzig = ?   ___

7 dreihundertvierundsechzig + fünfhundertelf = ?   ___

8 vierhundertdreiundachtzig – einhundertdreiundsiebzig = ?   ___

4 **Was passt zusammen? Ergänzen Sie.**

~~ADAC~~ ◆ DGB ◆ EU ◆ FAZ ◆ ICE ◆ KFZ ◆ VHS ◆ VW ◆ ZDF

ADAC der **A**llgemeine **D**eutsche   _____ das **Z**weite **D**eutsche **F**ernsehen
       Automobil-**C**lub   _____ der **D**eutsche **G**ewerkschafts**b**und
_____ die **F**rankfurter **A**llgemeine **Z**eitung   _____ die **V**olks**h**och**s**chule
_____ der **I**nter **C**ity **E**xpress   _____ die **E**uropäische **U**nion
_____ das **K**raft**f**ahr**z**eug (= Auto)   _____ der **V**olks**w**agen

Lerntipp:

Bei Abkürzungen mit
Buchstaben ist der Akzent
fast immer am Ende.

Lesen Sie diese Abkürzungen laut.

ADA<u>C</u> DG<u>B</u> E<u>U</u> FA<u>Z</u> IC<u>E</u> KF<u>Z</u> VH<u>S</u> V<u>W</u> ZD<u>F</u>

5 **Buchstabieren Sie bitte.**

● *Wie heißen Sie?*
■ *Polt.*
● *Wie schreibt man das?*
 Buchstabieren Sie bitte.
■ *P wie Paula, O wie Otto, L wie*
 Ludwig, T wie Theodor. Polt.

A	wie Anton	J	wie Julius	Sch	wie Schule
Ä	wie Ärger	K	wie Kaufmann	T	wie Theodor
B	wie Berta	L	wie Ludwig	U	wie Ulrich
C	wie Cäsar	M	wie Martha	Ü	wie Übermut
Ch	wie Charlotte	N	wie Nordpol	V	wie Viktor
D	wie Dora	O	wie Otto	W	wie Wilhelm
E	wie Emil	Ö	wie Ökonom	X	wie Xanthippe
F	wie Friedrich	P	wie Paula	Y	wie Ypsilon
G	wie Gustav	Q	wie Quelle	Z	wie Zeppelin
H	wie Heinrich	R	wie Richard		
I	wie Ida	S	wie Samuel		

Und Sie? Wie heißen Sie? _____
Wie schreibt man das? _____

6 **Buchstabieren Sie die Wörter.**

1 Adresse: _____
      _____

2 Beckmann: _____

3 Fröhlich: _____

4 Land: _____
5 Name: *N wie Nordpol, A wie Anton, M wie Martha, E wie Emil*
6 Tangram: _____
      _____

7 Telefon: _____
      _____

8 Zahl: _____

7 Wo ist der Satzakzent? Hören und markieren Sie.

1 X Wie <u>heißt</u> du?
       Wie heißt <u>du</u>?

2   <u>Wie</u> heißen Sie?
       Wie <u>heißen</u> Sie?

3   Wie ist Ihre Telefon<u>nu</u>mmer?
       Wie ist Ihre Tele<u>fon</u>nummer?

4   Wie ist deine A<u>dre</u>sse?
       Wie ist deine A<u>dre</u>sse?

5   Bitte <u>noch</u> einmal.
       Bitte noch <u>ein</u>mal.

6   Bitte <u>langsam</u>.
       Bitte <u>lang</u>sam.

7   <u>Wie</u> bitte?
       Wie <u>bit</u>te?

8   <u>Buchsta</u>bieren Sie bitte.
       Buchsta<u>bie</u>ren Sie bitte.

9   Barbosa – wie <u>schreibt</u> man das?
       Barbosa – wie schreibt man <u>das</u>?

KURSBUCH
A 6-A 7

B Ein Visum für Deutschland

8 Lesen Sie das Formular: Was passt? Markieren Sie bitte.

Frage	Nr.
Wie heißen Sie?	
Haben Sie noch andere Namen?	
Wie ist Ihr Vorname?	3
Welche Staatsangehörigkeit haben Sie?	

Frage	Nr.
Was sind Sie von Beruf?	
Wann und wo sind Sie geboren?	
Wie ist Ihre Adresse?	
Sind Sie verheiratet?	

Schreiben Sie die Antworten in das Formular.

Deutsch – Englisch
Französisch – Spanisch

ANTRAG AUF ERTEILUNG EINES VISUMS
APPLICATION FOR A VISA/FORMULAIRE DE DEMANDE DE VISA/IMPRESO DE SOLICITUD DE VISADO
Botschaft/Generalkonsulat der Bundesrepublik Deutschland

Bearbeitungsvermerke

1. NAME ....
   FAMILY NAME/NOM/APELLIDOS

2. SONSTIGE NAMEN ....
   (Geburtsname, alias, Pseudonym, vorherige Namen)
   OTHER NAMES (name given at birth, assumed name, previous names)
   AUTRES NOMS (nom à la naissance, alias, pseudonyme, noms portés antérieurement)
   OTROS APELLIDOS (apellidos de soltera, alias, pseudónimo, apellidos anteriores)

3. VORNAMEN ....
   GIVEN NAMES/PRENOMS/NOMBRES

4. GESCHLECHT   (M) ☐   (W) ☐
   SEX/SEXE/SEXO   (M)/(M)/(V)   (F)/(F)/(M)

5. GEBURTSDATUM UND -ORT ....
   DATE AND PLACE OF BIRTH/DATE ET LIEU DE NAISSANCE/
   FECHA Y LUGAR DE NACIMIENTO

6. GEBURTSLAND ....
   COUNTRY OF BIRTH/PAYS DE NAISSANCE/PAIS DE NACIMIENTO

7. STAATSANGEHÖRIGKEITEN ....
   NATIONALITY(IES)/NATIONALITE(S)/NACIONALIDAD(ES)

8. FAMILIENSTAND   ledig ☐   verheiratet ☐
   PERSONAL STATUS/SITUATION DE   single/célibataire   married/marié(e)
   FAMILLE/ESTADO CIVIL   soltero(a)   casado(a)
       geschieden ☐   verwitwet ☐
       divorced/divorcé(e)/divorciado(a)   widowed/veuf(ve)/viudo(a)

9. ANSCHRIFT ....
   ADDRESS/ADRESSE/DIRECCION

10. BERUF ....
    TRADE OR PROFESSION/PROFESSION/PROFESION

11. ARBEITGEBER ....
    EMPLOYER/EMPLOYEUR/EMPLEADOR

Lichtbild
neueren Datums

Recent
photograph

Photographie
récente

Fotografia
reciente

DATUM UND NUMMER DES
ANTRAGS:

BELEGE:
Aufenthaltsnachweis ☐
finanzielle Mittel ☐
Beförderungsausweis ☐
Unterkunft ☐
Rückkehrvisum ☐
Krankenversicherung ☐
<u>weitere Belege</u>

9 Lesen Sie die Jahreszahlen laut und schreiben Sie.

man sagt	man schreibt
1 1975	*neunzehnhundertfünfundsiebzig*
2 2001	*zweitausendeins*
3 1999	
4 2004	
5 1789	
6 1991	
7 2005	
8 1968	

KURSBU B 7

10 Ergänzen Sie die Tabelle.

	haben	sein
ich		*bin*
du		
sie/er/es	*hat*	
wir		
ihr		
sie/Sie		*sind*

11 Ergänzen Sie „haben" oder „sein".

1 Gandolfo _ist_ verheiratet. Er _____ fünf Kinder.
Er _____ Hausmann. Seine Frau Silvia _____ Lehrerin
von Beruf. Gandolfo _____ in Italien geboren, wohnt aber
schon 20 Jahre in Deutschland. Er _____ jetzt die deutsche
Staatsbürgerschaft.

2 Regina und Joachim _____ nicht
verheiratet. Sie leben zusammen. Sie
_____ keine Kinder.
Sie _____ aber eine Katze.

3 Das ist Elvis. Er _____
ledig. Er _____ eine
Freundin und _____
sehr verliebt.

12 **Vergleichen Sie die Leute und ergänzen Sie.**

Anja Puhl
*1982 in Hamburg
Studentin
ledig, 1 Kind
deutsch

Antonio Musso
*1972 in Stuttgart
Ingenieur
verheiratet, 2 Kinder
italienisch

Oliver Puhl
*1972 in Hamburg
Ingenieur
verheiratet, –
deutsch

Ricarda Brandt,
geb. Musso
*1974 in Stuttgart
Flugbegleiterin
geschieden, –
italienisch

... haben ...   ◆   ... hat ...   ◆   ... sind ...   ◆   ... ist ...

1   *Anja und Oliver sind* _____ in Hamburg geboren.
_____ in Stuttgart geboren.

2   _____ Jahre alt, _____ Jahre alt,
und Oliver und Antonio _____ Jahre alt.

3   _____ Studentin, _____ Flugbegleiterin,
_____ Ingenieure.

4   _____ verheiratet, _____ nicht verheiratet.

5   _____ Kinder, _____ keine Kinder.

6   _____ die deutsche Staatsangehörigkeit,
_____ die italienische Staatsangehörigkeit.

13 **Ergänzen Sie den Dialog.**

1   *Anja*   „Wir ___ *sind* ___ in Hamburg geboren, Oliver 1972 und ich 1982.
Und ihr? _____ ihr aus Italien?"

2   _____ „Nein, die Familie _____ aus Italien. Ricarda und ich _____ in Stuttgart
geboren. Aber wir _____ die italienische Staatsangehörigkeit."

3   _____ „Antonio _____ Ingenieur, ich _____ Flugbegleiterin bei der Lufthansa.
Was _____ ihr von Beruf?"

4   _____ „Ich _____ Studentin. Oliver _____ auch Ingenieur."

5   _____ „Auch Ingenieur? Und auch 1972 geboren! _____ du verheiratet, Oliver?
_____ du Kinder?"

6   _____ „Ja, ich _____ verheiratet, aber ich _____ keine Kinder.
Anja _____ ein Kind. Und ihr? _____ ihr Kinder?"

7   _____ „Antonio _____ verheiratet und _____ zwei Kinder.
Ich _____ geschieden. Und ich _____ keine Kinder."

Wer sagt was? Ergänzen Sie die Namen.

14 Hören und antworten Sie.

Hören Sie und beantworten Sie die Fragen. Sprechen Sie schnell.
Die Leute verstehen nicht gut und fragen „Wie bitte?".
Wiederholen Sie dann noch einmal langsam und deutlich.

Beispiel:

● *Ihr Name, bitte.*
■ *Ich heiße Müller-Thurgau.*
● *Wie bitte?*
■ *M ü l l e r - T h u r g a u .*
● *Ah, Müller-Thurgau. Danke.*

Beispiel	Name:	Müller-Thurgau

1	Frau Dr. Krüger:	310 74 53	9	Ihr Name:	???
2	Meldestelle:	Ludwigstr. 28	10	Ihr(e) Vorname(n):	???
3	Herr Obutu:	aus Nigeria	11	Ihr Land:	???
4	Herr Schnelle:	Taxifahrer	12	Ihr Beruf:	???
5	Frau Schneider:	* 1949 in Hannover	13	Ihr Familienstand:	???
6	Herr Wecker:	Konstantin	14	Ihre Adresse:	???
7	Frau Schmidt:	verheiratet, 3 Kinder			
8	Herr Haufiku:	namibisch und britisch			

KURSBUC
C 1-C

C Ein neuer Nachbar

15 Ergänzen Sie die Verb-Endungen.

Subjekt	kommen	gehen	spielen	arbeiten	finden
ich	komm___	geh___	spiel___	arbeit___	find___
du	komm___	geh___	spiel___	arbeite___	finde___
sie/er/es	komm___	geh___	spiel___	arbeite___	finde___
wir	komm___	geh___	spiel___	arbeit___	find___
ihr	komm___	geh___	spiel___	arbeite___	finde___
sie	komm___	geh___	spiel___	arbeit___	find___

Höflichkeitsform

Sie	komm___	geh___	spiel___	arbeit___	find___

16 **Ergänzen Sie die Verben und die Verb-Endungen.**

● Ich _bin_ Ihr neuer Nachbar. Ich wohn _e_ in der Wohnung nebenan.

■ Komm_____ Sie doch herein. _____ Sie schon lange hier in Deutschland?

● Nein, ich _____ erst 2 Wochen hier.

■ Wir wohn_____ jetzt schon 20 Jahre hier. Mein Mann _____ nicht zu Hause. Er arbeit_____ heute bis 7 Uhr. Komm_____ Sie doch mal zum Kaffeetrinken vorbei.

● Woher komm_____ ihr?

■ Wir komm_____ aus Chile. Aber wir _____ schon 5 Jahre in Deutschland.

● _____ du auch Student?

■ Nein, ich _____ Angestellter.

● Arbeit_____ du hier an der Universität?

■ Nein. Ich arbeit_____ bei der Volkshochschule.

● Wo wohn_____ Anja und Oliver?

■ Ich weiß nicht genau. Sie _____ in Hamburg geboren, aber ich glaube, sie wohn_____ jetzt in Bremen.

17 **Schreiben Sie mindestens 10 Sätze.**

aus Spanien   Deutsch   nehme   in Dortmund   bei VW

bin   ein Bier   Eva   wohnen   trinke

seid

nehmen   studiert   arbeite   lernen

wir

trinken   ihr   er   ich   kommen

Medizin   wohne   studiere

ist

lebt   arbeitet   trinkt   Kaffee   19 Jahre alt

Ich wohne in Dortmund.

Eva arbeitet bei VW.

_____

_____

_____

_____

_____

_____

D Ratespiele

18 **Ergänzen Sie.**

eine ◆ ein ◆ keine ◆ kein ◆ –

1 Ich glaube, das ist _ein_ Formular. – Das ist doch _kein_ Formular.
2 Vielleicht sind das _–_ Bilder. – Das sind doch _____ Bilder.
3 Das ist _____ Tabelle. – Das ist doch _____ Tabelle.
4 Ich glaube, das sind _____ Dialoge. – Das sind doch _____ Dialoge.
5 Vielleicht sind das _____ Zahlen. – Das sind doch _____ Zahlen.
6 Das ist _____ Lesetext. – Das ist doch _____ Lesetext.
7 Vielleicht ist das _____ Kursliste. – Das ist doch _____ Kursliste.
8 Ich glaube, das ist _____ Lied. – Das ist doch _____ Lied.

19 **Ergänzen Sie die Artikel.**

eine ◆ ein ◆ die ◆ das ◆ der

1 Ich glaube, das ist _ein_ Formular. – Richtig. Das ist _das_ Formular von Seite 18.
2 Das ist _____ Liste. – Genau, das ist _____ Kursliste von Seite 16.
3 Das ist _____ Zahl. – Das ist doch _____ Telefonnummer von Eva.
4 Ich glaube, das ist _____ Lied. – Genau, das ist _____ Rap von Seite 11.
5 Ist das _____ Adresse von Peter? – Nein, ich glaube nicht.

> **!** In Texten, Dialogen, ... steht
> zuerst der unbestimmte Artikel,
> dann der bestimmte Artikel.

20 **Ergänzen Sie die Tabelle.**

Beispiele	Liste *(f)*	Rap *(m)*	Lied *(n)*	Formulare (Plural)
der bestimmte Artikel	die			
der unbestimmte Artikel		ein		–
der negative Artikel			kein	

21 **Was ist das? Raten und ergänzen Sie.**

lirsteKus ◆ rAdeses ◆ marloFur ◆ dilB ◆ tooF ◆ giloDa ◆ rahFer ◆ fonleeT

1 Es spricht ohne Worte. _____
2 Er ist nie allein (immer zu zweit). _____
3 Er arbeitet im Auto. _____
4 Sie hat viele Namen. _____
5 Es möchte alles von Ihnen wissen. _____
6 Sie ist auf allen Briefen. _____
7 Es ist in jedem Pass. _____
8 Sein Name ist eine Nummer. _____

> sie ↔ die / eine ...
> er ↔ der / ein ...
> es ↔ das / ein ...

E   Zwischen den Zeilen

22   Hören und markieren Sie.

Die Leute kommen aus Ländern und Regionen, wo man Deutsch spricht. Sie begrüßen sich und sagen „Guten Tag" oder „Hallo!", aber es klingt immer anders.

1	Grüezi!	*in der schweiz*
	Gudn Daach!	
	Gris Gott!	
	Moin, moin!	
	Servus!	

Wo sagt man was? Raten Sie und ergänzen Sie die Länder, dann hören und vergleichen Sie.

23   Wo ist das? Hören und markieren Sie.

Nr.	Land (Sprache)	„du"	„Sie"		Nr.	Land (Sprache)	„du"	„Sie"
	Österreich (Wienerisch)				1	Norddeutschland (Platt)	X	
	Schweiz (Berndeutsch)					Sachsen (Sächsisch)		
	Schwaben (Schwäbisch)							

Per du oder per Sie? Hören Sie noch einmal und markieren Sie.

24   Was passt wo? Ergänzen Sie die Überschriften.

Hallo! / Guten Tag!	(Danke,) gut.	Tschüs! / Auf Wiedersehen!

Pfiat di!	Matt jo.	Servus!
Baba!	Dange, guad.	Grüezi!
Uf Wiederluege!	Ha gued.	Moin, moin!
Adiä!	Gans guud.	Grüaß Gott!
Mach's guud!	Nu ja, es geed.	Daach!

F Was darf's denn sein?

25 **Was passt wo? Ergänzen Sie die Namen.**

Bier *(n)* ◆ Cola *(f)* ◆ Ei *(n)* ◆ Gulaschsuppe *(f)* ◆ Hähnchen *(n)* ◆ Käsebrot *(n)* ◆ Kaffee *(m)* ◆
Kuchen *(m)* ◆ Mineralwasser *(n)* ◆ Orangensaft *(m)* ◆ Rotwein *(m)* ◆ Salat *(m)* ◆ Schinkenbrot *(n)* ◆
Tee *(m)* ◆ Würstchen *(n)*

1 _____

2 _____

3 _____

4 _____

5 _____

6 _____

7 _____

8 _____

9 _____

10 _____

11 _____

12 _____

13 _____

14 _____

15 _____

26 **Sortieren Sie die Wörter oben.**

Ich möchte/nehme/bestelle/trinke …

eine	einen	ein
Gulaschsuppe	Salat	Bier

nehmen / möchten / trinken / bestellen

	f	*m*	*n*
Ich **nehme**	eine Gulaschsuppe	ein**en** Salat	ein Schinkenbrot.
Nein,	**keine** Gulaschsuppe	**keinen** Salat	**kein** Schinkenbrot.

27 **Hören und antworten Sie.**

Sie bestellen im Lokal.

Beispiel:

Nein, kein Bier. Eine Cola, bitte.

● *Was darf's sein?* ↗
■ *Ich nehme ein Schinkenbrot* ↘ …
  Nein,→ *kein Schinkenbrot,*→ *ein Käsebrot, bitte.* ↘
● *Und was möchten Sie trinken?* ↗
■ *Ein Bier.* ↘ … *Nein, kein Bier,*→ *einen Rotwein, bitte.* ↘
● *Also ein Käsebrot und einen Rotwein.* ↘ *Danke.* ↘

Beispiel	Schinkenbrot (n)	→ Käsebrot (n)	Bier (n)	→ Rotwein (m)
1	Würstchen (n)	→ Gulaschsuppe (f)	Mineralwasser (n)	→ Cola (f)
2	Gulaschsuppe (f)	→ Salat mit Ei (m)	Apfelsaft (m)	→ Tee (m)
3	Eis (n)	→ Apfelkuchen (m)	Cola (f)	→ Kaffee (m)
4	Salat (m)	→ Würstchen (n)	Weißwein (m)	→ Bier (n)
5	Kuchen (m)	→ Eis (n)	Orangensaft (m)	→ Mineralwasser (n)
6	Käsebrot (n)	→ Schinkenbrot (n)	Rotwein (m)	→ Apfelsaft (m)

28 **Schreiben Sie kleine Dialoge.**

● *Was darf's sein?*
■ *Ein Schinkenbrot und* …
● *Was möchten Sie trinken?*
■ *Ein Bier und einen Tee, bitte.*

KURSBUCH
F 4

G   Der Ton macht die Musik

29 **Hören Sie, sprechen Sie nach und markieren Sie.**

Die Vokale **a**, **e**, **i**, **o** und **u** spricht man im Deutschen lang (<u>a</u>, <u>e</u> …) oder kurz (a̧, ȩ …)

a	Zahl	Hamburg	Datum	dann	Paar	Name	Stadt
e	geht	Student	Tee	den	denn	etwas	ledig
i	Spiel	Bild	bitte	Lied	ist	Tipp	viel
o	Brot	kommen	von	doch	Cola	wohnt	Zoo
u	Buchstabe	gut	Gruppe	Stuhl	Beruf	du	hundert

30 **Lang oder kurz? Ergänzen Sie die Regeln.**

> **! schreiben**
>
> | „ah" (wie in „Zahl") und „aa" (wie in „Paar") | | [a:] |
> |---|---|---|
> | „eh" (wie in „geht") und „ee" (wie in „Tee") | spricht man _____ | [e:] |
> | „oh" (wie in „wohnt") und „oo" (wie in „Zoo") | | [o:] |
> | „uh" (wie in „Stuhl") | | [u:] |
> | „ie" (wie in „Spiel", „Lied" oder „viel") | spricht man _____ | [i:] |
> | „i" (wie in „Bild" oder „ist") | spricht man _____ | [ɪ] |
> | Vokal (a, e, i, o, u) + Doppel-Konsonant (mm, nn, tt, …) wie in „dann", „denn", „bitte", „Tipp" „kommen" oder „Gruppe" | spricht man immer _____ | [a], [ɛ], [ɪ], [ɔ], [ʊ] |

31 **Lang oder kurz? Markieren Sie.**

Jahr	hallo	Staatsangehörigkeit	Wasser	Fahrer
steht	Sessel	Idee	Lehrer	kennen	zehn
stimmt	hier	richtig	Bier	sieben
oh	Boot	Lotto	Wohnung	kommen
Suppe	Stuhl	Nummer	Uhr	null

22 **Hören Sie, sprechen Sie nach und vergleichen Sie.**

32 **Hören und sprechen Sie.**

Vokal-Interview	a	Hallo, da sind Sie ja. Name? Staatsangehörigkeit? Aha.
	e	Ledig? Sehr nett. Sprechen Sie denn etwas Englisch?
	i	Wie ist die Anschrift hier in Innsbruck, bitte?
	o	Wo wohnen Sie? … Woher kommen Sie?
	u	Und Ihr Beruf? Studentin? Gut.
	a / e / i / o / u	Oh, es ist schon vier Uhr. Ich muss jetzt weg. Kommen Sie doch bitte morgen noch mal vorbei.

Testen Sie sich!

Was ist richtig: a, b oder c? Markieren Sie bitte.

> Beispiel:
>
> ● Wie heißen Sie?
> ■ Mein Name _____ Schneider.
>   ▢ a) hat
>   ✗ b) ist
>   ▢ c) heißt

1 ● Wo arbeitet Herr Weyer?
   ■ _____ Merk & Sulzer.
     ▢ a) In
     ▢ b) Von
     ▢ c) Bei

2 ●
   _____ Nikos?
   ■ Ludwig-Landmann-Straße 252, in Frankfurt.
     ▢ a) Wie ist die Adresse von
     ▢ b) Woher kommt
     ▢ c) Wo ist

3 ● Mein Name ist Pabl: _____
   .
     ▢ a) P wie Pilot, A wie Arzt, B wie Beruf
        und L wie Lehrer
     ▢ b) P wie Paula, A wie Anton, B wie Berta
        und L wie Ludwig
     ▢ c) P wie Polen, A wie Argentinien, B
        wie Brasilien und L wie Luxemburg

4 ● Wie heißen Sie?
   ■ Frank Brsirske.
   ●
   _____
     ▢ a) Wie bitte? Buchstabieren Sie bitte
     ▢ b) Genau
     ▢ c) Ja, bitte

5 ● _____, Nikos ist heute zu Hause.
   ■ Vielleicht ist er ja auch im Deutschkurs.
     ▢ a) Vielleicht
     ▢ b) Nicht
     ▢ c) Ich glaube

6 ● Sind Sie verheiratet?
   ■ Nein, ich bin _____.
     ▢ a) alt
     ▢ b) ledig
     ▢ c) verheiratet

7 ● Ich habe keine Kinder.
   ■ Ich auch nicht.
   ▲ _____. Ich habe zwei Kinder.
     ▢ a) Ich auch
     ▢ b) Ich nicht
     ▢ c) Aber ich

8 ● Seid ihr verheiratet? Habt ihr Kinder?
   ■ Nein, wir _____ nicht verheiratet und
      _____ keine Kinder.
     ▢ a) sind … haben
     ▢ b) bin … habe
     ▢ c) seid … habt

9 ● Die Wohnung ist hübsch. Wie lange
      _____ du schon hier?
   ■ Erst zwei Monate.
     ▢ a) wohnen
     ▢ b) wohnst
     ▢ c) wohnt

10 ● Wo _____ Vera?
    ■ Bei TransFair, das ist eine internationale
      Spedition.
     ▢ a) arbeiten
     ▢ b) arbeitest
     ▢ c) arbeitet

11 ● Wir trinken jetzt Kaffee, o.k.?
    ■ Hast du vielleicht auch Tee? Ich
      _____ nämlich keinen Kaffee.
     ▢ a) trinke
     ▢ b) trinken
     ▢ c) trinkt

12 ● Was ist denn das hier?
    ■ Das ist _____ Lied, das ist _____ Rap aus
      Lektion 1.
     ▢ a) eine … das
     ▢ b) ein … der
     ▢ c) kein … eine

13 ● In diesem Deutschbuch sind ja nur Bilder und
      Dialoge!
    ■ Nein, es gibt auch _____ Lesetexte.
     ▢ a) –
     ▢ b) eine
     ▢ c) keine

14 ● Was darf's denn sein?
    ■ _____.
     ▢ a) Tut mir Leid, wir haben keine mehr
     ▢ b) Guten Appetit
     ▢ c) Ich nehme einen Kaffee

15 ● Ja, bitte?
    ■ Ich möchte _____ Salat mit Ei und
      _____ Bier.
     ▢ a) ein … ein
     ▢ b) einen … ein
     ▢ c) eine … eine

Selbstkontrolle

1 Ich

Ich komme aus _____ . Ich bin _19_ in _____ geboren.

Meine Staatsangehörigkeit: _____ .

Ich bin _____ (von Beruf) und arbeite bei _____ .

Ich bin _____ und habe _____ Kinder.

Ich buchstabiere meinen Namen:

_____

Meine Adresse ist:

_____

Meine Telefonnummer ist

(Vorwahl) _____ (Rufnummer) _____

2 Antworten Sie. („Ich auch." / „Ich nicht." / „Ich auch nicht." / „Aber ich.")

Ich lebe in Deutschland. _____

Ich bin verheiratet. _____

Ich habe zwei Kinder. _____

Ich spreche Englisch. _____

Ich esse gerne Kuchen. _____

Ich trinke gerne Cola. _____

Ich trinke nicht gerne Bier. _____

Ich esse kein Eis. _____

3 Ich bestelle im Lokal (nehmen/möchten + Akkusativ)

_____

_____

Ergebnis:	✔✔	✔	–
1 Angaben zur Person machen			
– den Namen buchstabieren			
– die Adresse nennen			
– die Telefonnummer nennen			
2 zustimmen und verneinen			
3 im Restaurant bestellen			
Außerdem:			
ein Formular ausfüllen			
Zahlen von 0 bis 1000			

Lernwortschatz

Kursiv gedruckte Wörter sind Wortschatz der Niveaustufe A2 oder B1. Diese Wörter müssen Sie nicht für die Prüfung **Start Deutsch 1 / Start Deutsch 1z** lernen.

Nomen

Alter das (nur Singular)	_____	Milch die (nur Singular)	_____
Anfang der, ⸚e	_____	Mineralwasser das, ⸚	_____
Angestellte die/der, -n	_____	Monat der, -e	_____
Anmeldung die, -en	_____	Nachbar der, -n	_____
Apfelsaft der, ⸚e	_____	Nachmittag der, -e	_____
Appetit der (nur Singular)	_____	Orangensaft der, ⸚e	_____
Auskunft die, ⸚e	_____	Paar das, -e	_____
Ausweis der, -e	_____	(ein Paar Frankfurter Würstchen)	
Auto das, -s	_____	Portion die, -en	_____
Besuch der, -e	_____	(eine Portion gemischtes Eis)	
Bier das, -e	_____	Religion die, -en	_____
Buchstabe der, -n	_____	Salat der, -e	_____
Dank der (nur Singular)	_____	*Seite die, -n*	_____
Ei das, -er	_____	*Situation die, -en*	_____
Eis das (nur Singular)	_____	Speisekarte die, -n	_____
Familienstand der	_____	*Staatsangehörigkeit die, -en*	_____
(nur Singular)		Straße die, -n	_____
Fehler der, -	_____	*Stück das, -e*	_____
Fernseher der, -	_____	(ein Stück Kuchen)	
Firma die, Firmen	_____	Student der, -en	_____
Formular das, -e	_____	*Suppe die, -n*	_____
Führerschein der, -e	_____	*Tasse die, -n*	_____
Geburtsjahr das, -e	_____	Tür die, -en	_____
Geburtsort der, -e	_____	Wasser das (nur Singular)	_____
Haus das, ⸚er	_____	Wein der, -e	_____
Kollegin die, -nen	_____	Woche die, -n	_____
Kuchen der, -	_____	Wohnung die, -en	_____
Lampe die, -n	_____	*Würstchen das, -*	_____
Lied das, -er	_____	Zimmer das, -	_____
Mantel der, ⸚	_____	*Zentrum das, Zentren*	_____
Methode die, -n	_____	*Zucker der (nur Singular)*	_____

Verben

begrüßen	_____	hilft (→ helfen)	_____
bestellen	_____	*klingeln*	_____
besuchen	_____	lädt ... ein (→ einladen)	_____
buchstabieren	_____	nehmen	_____
essen	_____	öffnen	_____
fehlen	_____	stehen	_____
gibt (→ geben)	_____	(Hier steht: „der Couchtisch".)	
geboren sein	_____	trinken	_____
gehen	_____	weiß (→ wissen)	_____
glauben	_____	wiederholen	_____
haben	_____		

Adjektive

alt	_____	laut	_____
deutlich	_____	ledig	_____
freundlich	_____	männlich	_____
hübsch	_____	neu	_____
international	_____	*unfreundlich*	_____
geschieden	_____	verheiratet	_____
klein	_____	weiblich	_____
langsam	_____	*wunderbar*	_____

andere Wörter / Ausdrücke

also	_____	natürlich	_____
an (an der Wohnungstür)	_____	nur	_____
halt	_____	oben	_____
in der Mitte	_____	rechts	_____
gern(e)	_____	unten	_____
gleich	_____	vielleicht	_____
(Der Tee kommt gleich.)		wann?	_____
jed-	_____	wer?	_____
jemand	_____	wie lange?	_____
links	_____	*wirklich*	_____
meist-	_____	*zweimal*	_____

Guten Tag, ich suche...

A Rupien, Euro, Dollar

1 **Wie heißt das Geld in ... ? Ergänzen Sie.**

Dollar ◆ Franken ◆ Rupien ◆ Yen ◆ Pesos ◆ Euro ◆ ~~Rubel~~ ◆ Dinar ◆ Kronen ◆ Rand ◆ Pfund

Russland	*Rubel*	Tunesien	____	Südafrika	____
Schweiz	____	Ägypten	____	Japan	____
USA	____	Deutschland	____	Chile	____
Indien	____	Norwegen	____	...	____

KURSBUCH
A 1-A 3

2 **Ergänzen Sie die Zahlen auf den Schecks.**

__dreitausendzweihundert__ ◆ zweitausendsechshundertfünfzig ◆ vierzigtausend ◆
fünftausenddreihundertzwölf ◆ neuntausendzweihundertzwanzig ◆ achttausendachthundert

1 Nur zur Verrechnung (Bezogenes Kreditinstitut)
Zahlen Sie gegen diesen Scheck
*Bis zur Einführung des Euro (=EUR) nur DM; danach DM oder EUR.
EUR 2650,–

2 Nur zur Verrechnung (Bezogenes Kreditinstitut)
Zahlen Sie gegen diesen Scheck
dreitausendzweihundert
Betrag in Buchstaben
noch Betrag in Buchstaben
an
*Bis zur Einführung des Euro (=EUR) nur DM; danach DM oder EUR.
EUR 3200,–

3 Nur zur Verrechnung (Bezogenes Kreditinstitut)
Zahlen Sie gegen diesen Scheck
Betrag in Buchstaben
noch Betrag in Buchstaben
an
*Bis zur Einführung des Euro (=EUR) nur DM; danach DM oder EUR.
EUR 5312,–
oder Order
Ausstellungsort

4 Nur zur Verrechnung (Bezogenes Kreditinstitut)
Zahlen Sie gegen diesen Scheck
*Bis zur Einführung des Euro (=EUR) nur DM; danach DM oder EUR.
EUR 8800,–
Betrag in Buchstaben

5 Nur zur Verrechnung (Bezogenes Kreditinstitut)
Zahlen Sie gegen diesen Scheck
Betrag in Buchstaben
*Bis zur Einführung des Euro (=EUR) nur DM; danach DM oder EUR.
EUR 9220,–

6 Nur zur Verrechnung (Bezogenes Kreditinstitut)
Zahlen Sie gegen diesen Scheck
Betrag in Buchstaben
noch Betrag in Buchstaben
an
*Bis zur Einführung des Euro (=EUR) nur DM; danach DM oder EUR.
EUR 40000,–
oder Order
Ausstellungsort
Datum

3 **Hören und ergänzen Sie die Zahlen.**

1 Der Kunde wechselt _____ Yen in Euro.

2 Das Menü kostet _____ Pesos.

3 Im Jackpot sind _____ Euro.

4 Das Bild von Picasso kostet _____ Euro.

5 Frau Hansen gewinnt _____ Euro.

KURSBUCH
A 4

B Im Möbelhaus

4 **Finden Sie die Fehler und schreiben Sie.**

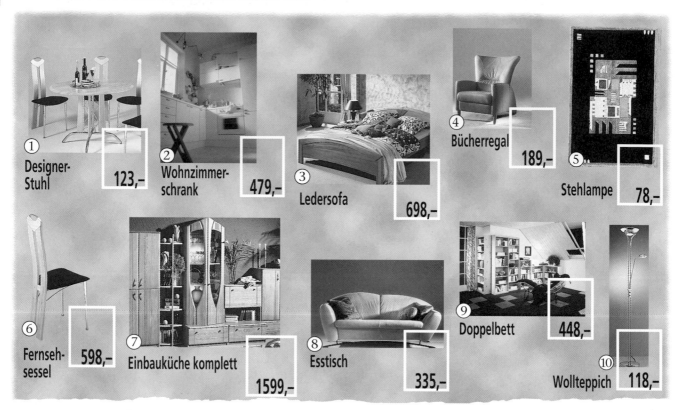

① Designer-Stuhl 123,–
② Wohnzimmer-schrank 479,–
③ Ledersofa 698,–
④ Bücherregal 189,–
⑤ Stehlampe 78,–
⑥ Fernseh-sessel 598,–
⑦ Einbauküche komplett 1599,–
⑧ Esstisch 335,–
⑨ Doppelbett 448,–
⑩ Wollteppich 118,–

Nr. 1 ist kein Stuhl,→ das ist ein Tisch. ↘
  Ich glaube,→ das ist der Esstisch für 335 Euro. ↘

5 **Wie heißt das Möbelstück? Ergänzen Sie.**

der Schreib _tisch_ _____

der Tisch   der Schreibtisch

_____ Hoch_____

_____ Kleider_____

_____ Garten_____

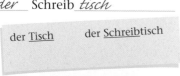

_____ Küchen_____

_____ Einbau_____

 Markieren Sie die Wortakzente. Dann hören Sie, sprechen Sie nach und vergleichen Sie. B 3-B

6 **Hören und sprechen Sie.**

altmodisch	bequem	ganz hübsch	günstig	interessant	langweilig
modern	nicht billig	nicht schlecht	nicht so schön	originell	praktisch
sehr günstig	super	unbequem	unpraktisch	zu teuer	

Markieren Sie jetzt die Wortakzente.
Dann hören Sie noch einmal und vergleichen Sie.

7 **Wie heißt das Gegenteil? Ergänzen Sie die passenden Adjektive.**

altmodisch	_modern_	langweilig	_____
bequem	_____	praktisch	_____
günstig	_____	super	_____
hübsch	_____	originell	_____

KURSBUCH B 5

8 **Widersprechen Sie! Schreiben Sie oder üben Sie zu zweit.**

Artikel + Nomen (Nominativ)				Artikel ohne Nomen (= Pronomen) (Akkusativ)		
Die	**Lampe**	ist ganz hübsch.	Hübsch?	**Die**	~~Lampe~~	finde ich nicht so schön.
Der	**Sessel**	ist originell.	Originell?	**Den**	~~Sessel~~	finde ich langweilig.
Das	**Regal**	ist günstig.	Günstig?	**Das**	~~Regal~~	finde ich zu teuer.
Die	**Stühle**	sind praktisch.	Praktisch?	**Die**	~~Stühle~~	finde ich unpraktisch.

1 Schau mal, der Kleiderschrank. Sehr modern! _Modern? Den finde ich altmodisch._
2 Das Sofa finde ich ganz hübsch. _Hübsch? Das finde ich_
3 Das Hochbett ist doch praktisch!
4 Der Sessel ist sehr bequem.
5 Die Stehlampe ist günstig, nur 195 Euro.
6 Der Wollteppich ist interessant.
7 Die Gartenstühle sind zu teuer.
8 Den Küchenschrank finde ich nicht so schön.
9 Die Futon-Betten finde ich langweilig.
10 Die Einbauküche ist super.

Ergänzen Sie die Tabelle.

Singular	_f_		_m_		_n_		Plural _f, m, n_
Nominativ	_die_	Küche		Teppich		Sofa	Betten
Akkusativ		Küche		Teppich	_das_	Sofa	Betten

KURSBUCH B 6-B 8

9 Sortieren Sie die Dialoge.

1 | _2_ | Warum fragst du nicht <u>die Verkäuferin</u>?
| | Entschuldigung. Wir suchen ein Hochbett.
| | Betten finden Sie im ersten Stock.
| _1_ | Wo sind denn die Betten?

2 | | Die ist zu teuer. Die kostet ja fast 150 Euro!
| | Entschuldigung. Haben Sie auch einfache Schreibtischlampen?
| | Nein, tut mir Leid. Wir haben nur Markenfabrikate.
| _1_ | Wie findest du die Schreibtischlampe? Ist die nicht schick?

3 | | Die sind gleich hier vorne.
| _1_ | Guten Tag. Wo sind denn hier Gartenmöbel, bitte?
| | Wir suchen ein paar Stühle. Haben Sie auch Sonderangebote?
| | Ja, natürlich.

4 | | Die finde ich nicht schlecht … Nein! Die sind unbequem.
| | Wie findest du die Stühle hier? Sind die nicht praktisch?
| | Wir brauchen aber neue Gartenstühle.

🔘 27 **Jetzt hören und vergleichen Sie.**
Dann markieren Sie die Akkusativ-Ergänzungen.

mit Akkusativ-Ergänzung:	fragen, suchen, finden, kosten, haben, brauchen , …
ohne Akkusativ-Ergänzung:	sein, heißen, …

10 Was passt wo? Ergänzen Sie Sätze mit Akkusativ aus Übung 9.

A

Subjekt	Verb	(…)	Akkusativ-Ergänzung
Wir	suchen		ein Hochbett

B

Akkusativ-Ergänzung	Verb	Subjekt	…
Betten	finden	sie	im ersten stock.

C

…	Verb	Subjekt	(…)	Akkusativ-Ergänzung
Warum	fragst	du	nicht	die Verkäuferin?

D

Verb	Subjekt	(…)	Akkusativ-Ergänzung
Haben	sie	auch	einfache schreibtischlampen?

11 **Ergänzen Sie.**

1 Wie findest du _das_ Sofa hier? – Ich kaufe doch _kein_ Sofa für 1250 Euro.

2 Wie findest du _____ Tisch hier? – Ich kaufe doch _____ Tisch für 3000 Euro.

3 Wie findest du _____ Lampe hier? – Ich kaufe doch _____ Lampe für 495 Euro.

4 Wie findest du _____ Stuhl hier? – Ich kaufe doch _____ Stuhl für 250 Euro.

5 Wie findest du _____ Bett hier? – Ich kaufe doch _____ Bett für 1499 Euro.

6 Wie findest du _____ Schrank hier? – Ich kaufe doch _____ Schrank für 1500 Euro.

7 Wie findest du _____ Teppich hier? – Ich kaufe doch _____ Teppich für 1900 Euro.

12 **Ergänzen Sie.**

1 Schau mal, _die_ Stühle da. – Aber wir brauchen doch _____ .

2 Schau mal, _____ Sofa da. – Aber wir brauchen doch _keins_ .

3 Schau mal, _____ Tisch da. – Aber wir brauchen doch _____ .

4 Schau mal, _____ Lampen da. – Aber wir brauchen doch _____ .

5 Schau mal, _____ Schrank da. – Aber wir brauchen doch _____ .

6 Schau mal, _____ Teppich da. – Aber wir brauchen doch _____ .

13 **Ergänzen Sie.**

1 Der Tisch ist toll! – _Den_ finde ich nicht schön.

2 Die Stühle sind super! – _____ finde ich total unpraktisch.

3 _____ Sofa ist bequem! – Das finde ich unbequem.

4 Die Lampe ist modern! – _____ finde ich unmodern.

5 _____ Sessel ist billig! – Den finde ich teuer.

6 _____ Bett ist originell! – Das finde ich langweilig.

7 Die Teppiche sind schön! – _____ finde ich nicht hübsch.

8 Der Stuhl ist aber billig! – _____ finde ich teuer.

C Haushaltsgeräte

14 Schreiben Sie den Text richtig.

Fast alle Haushalte in Deutschland haben eine Waschmaschine, einen Fernseher und ein Telefon. Fast alle – aber nicht mein Freund Achim.

die Waschmaschine	→ Er hat **keine** Waschmaschine.
der Fernseher	→ Er hat **keinen** Fernseher.
das Telefon	→ Er hat **kein** Telefon.

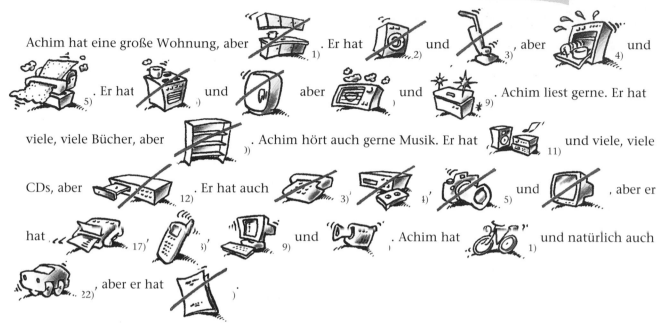

Achim hat eine große Wohnung, aber ___ 1). Er hat ___ 2) und ___ 3), aber ___ 4) und ___ 5). Er hat ___ und ___ aber ___ und ___ 9). Achim liest gerne. Er hat viele, viele Bücher, aber ___. Achim hört auch gerne Musik. Er hat ___ 11) und viele, viele CDs, aber ___ 12). Er hat auch ___ 3)' und ___)' und ___ 5)', aber er hat ___ 17)' und ___ 3)' und ___ 9) und ___). Achim hat ___ 1) und natürlich auch ___ 22), aber er hat ___).

Bei Achim ist eben alles etwas anders.

Achim hat eine große Wohnung, aber keine Küche. Er hat keine Waschmaschine und keinen Staubsauger, aber eine Spülmaschine und ...

_____

_____

_____

1 die Küche	7 der Kühlschrank	13 das Telefon	19 der Computer
2 die Waschmaschine	8 die Mikrowelle	14 der Videorekorder	20 die Videokamera
3 der Staubsauger	9 die Tiefkühltruhe	15 der Fotoapparat	21 das Fahrrad
4 die Spülmaschine	10 das Bücherregal	16 der Fernseher	22 das Auto
5 die Bügelmaschine	11 die Stereoanlage	17 das Faxgerät	23 der Führerschein
6 der Herd	12 der CD-Player	18 das Handy	

15 Ergänzen Sie.

1 Hast du eine Mikrowelle?	Ja, ich habe _eine_ .	Nein, ich habe _____.
2 Hast du ein Auto?	Ja, ich habe _____.	Nein, ich habe _____.
3 Hast du einen Fernseher?	Ja, ich habe _____.	Nein, ich habe _____.
4 Hast du ein Handy?	Ja, ich habe _____.	Nein, ich habe _____.
5 Hast du einen Fotoapparat?	Ja, ich habe _____.	Nein, ich habe _____.
6 Hast du eine Stereoanlage?	Ja, ich habe _____.	Nein, ich habe _____.

16 Hören und antworten Sie.

Es klingelt. Sie öffnen die Wohnungstür.

Herr Spät von der Firma Allkauf möchte Ihnen Geräte verkaufen. Zum Beispiel einen *Staubsauger*.

Sie antworten: *Ein Staubsauger? Nein, danke.*
Ich brauche keinen, ich habe schon einen.

Und eine Bügelmaschine.

Sie antworten: *Eine Bügelmaschine? Nein, danke.*
Ich habe keine, und ich brauche auch keine.

f	**Eine** Bügelmaschine? ↗ Ich habe **keine**,→ und ich brauche auch **keine**. ↘
m	**Ein** Staubsauger? ↗ Ich brauche **keinen**,→ ich habe schon **einen**. ↘
n	**Ein** Fahrrad? ↗ Ich brauche **keins**,→ ich habe schon **eins**. ↘

Das brauchen Sie nicht, das haben Sie schon
_____
Staubsauger Videorekorder Fotoapparat Handy

Das haben Sie nicht und brauchen Sie auch nicht
_____
Bügelmaschine Videokamera Faxgerät

KURSBUCH D 1–D 2

D Kann ich Ihnen helfen?

17 Was ist wo? Ergänzen Sie und markieren Sie die Pluralendungen.

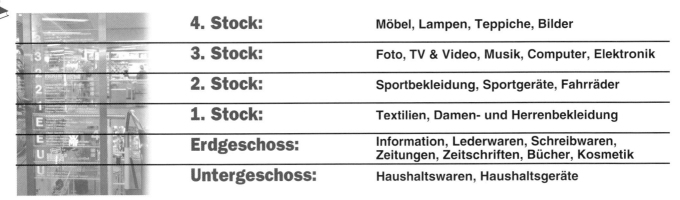

4. Stock:	**Möbel, Lampen, Teppiche, Bilder**
3. Stock:	**Foto, TV & Video, Musik, Computer, Elektronik**
2. Stock:	**Sportbekleidung, Sportgeräte, Fahrräder**
1. Stock:	**Textilien, Damen- und Herrenbekleidung**
Erdgeschoss:	**Information, Lederwaren, Schreibwaren, Zeitungen, Zeitschriften, Bücher, Kosmetik**
Untergeschoss:	**Haushaltswaren, Haushaltsgeräte**

Betten ◆ ~~Weingläser~~ ◆ Bilder ◆ Computer ◆ Fahrräder ◆ Fernseher ◆ Fotoapparate ◆ Handys ◆ Kühlschränke ◆ Kulis ◆ Mäntel ◆ ~~Schals~~ ◆ Sessel ◆ Sofas ◆ Spülmaschinen ◆ Staubsauger ◆ Stehlampen ◆ Stereoanlagen ◆ Stühle ◆ Teppiche ◆ Töpfe ◆ Jogginganzüge ◆ Videokameras ◆ Wörterbücher ◆ Zeitungen

4. Stock: _____

3. Stock: _____

2. Stock: _____

1. Stock: *Schals,* _____

Erdgeschoss: _____

Untergeschoss: *Weingläser,* _____

Ergänzen Sie die Pluralendungen.

Teppich____   Bett____   Stehlampe____   Bild____   Schal____   Staubsauger____

KURSBUCH D 3

18 **Sortieren Sie die Wörter aus Übung 17 nach den Pluralendungen.**

-e / ⸚e	-(e)n	-er / ⸚er	-s	- / ⸚
der Fotoapparat	*das Bett*	*das Weinglas*	*das Handy*	*der Computer*
		das Bild		*der Fernseher*
		das Fahrrad		

19 **Wo finden Sie das? Suchen Sie im Plan von Übung 17 und schreiben Sie.**

1 Ich suche ein Handy. – _Handys_ finden Sie im _dritten Stock._ .
2 Ich suche einen Pullover. – _____ finden Sie im _____ .
3 Ich suche einen Tisch. – _____ finden Sie im _____ .
4 Ich suche eine Tennishose. – _____ finden Sie im _____ .
5 Ich suche ein Fahrrad. – _____ finden Sie im _____ .
6 Ich suche einen Fernseher. – _____ finden Sie im _____ .
7 Ich suche einen Topf. – _____ finden Sie im _____ .
8 Ich suche eine Creme. – _____ finden Sie im _____ .

20 **Schreiben Sie Wortkarten für die Möbel und Haushaltsgeräte aus Lektion 3.**

Zum Beispiel: der Fernseher, (die) Fernseher   →

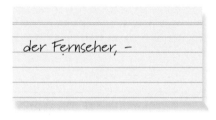

Sortieren Sie die Wortkarten in Gruppen.

Zum Beispiel:
Büro – Küche – Schlafzimmer – Wohnzimmer
Bilder – Musik – Sprache
Groß oder klein
Alt oder modern
Artikel: die – der – das
…

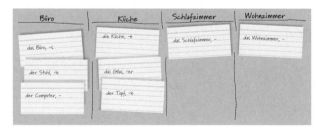

KURSBU
D 4-D

E Der Ton macht die Musik

21 **Lang (_) oder kurz (.)? Hören Sie, sprechen Sie nach und markieren Sie.**

(29)

a	Land	Plan	Glas	Mantel	Schrank		o	Ton	Topf	Wort	froh	schon
ä	Länder	Pläne	Gläser	Mäntel	Schränke		ö	Töne	Töpfe	Wörter	fröhlich	schön

22 **Welche Laute klingen gleich? Markieren und ergänzen Sie.**

(30)

1		a) Gast	2		a) Sätze	3		a) schenke	4		a) Sessel	5		a) Städte
	✗	b) Gäste			b) Satz			b) Schränke			b) Pässe			b) Betten
	✗	c) Geste			c) setzen			c) Schrank			c) Pass			c) Stadt

> Ein kurzes „ä" spricht man immer wie ein kurzes „e" [ɛ].

23 **Üben Sie.**

Sagen Sie:
Gläser, Rätsel, Pläne, ähnlich,
erzählen, Käse, spät

*) Oft sagt man auch [e:] statt [ɛ:].

Langes „ä" = [ɛ:] *)
Sagen Sie: „eeeeeeeeeeeeeeeeee"   [e:]

Öffnen Sie dabei den Mund: „eeeee"
wird zu „äääää".   [e:] → [ɛ:]
Sagen Sie „äääääää" – „äääääää" – „äää" –
„ää" – „ää" – „ää" …

24 **Ergänzen Sie „a" oder „ä" und sprechen Sie.**

Gl _ä_ ser   Gl _a_ s   Fahrr___d   Fahrr__der   m___nnlich   M___nn
g___nz   erg___nzen   n___mlich   N___me   T__g   t__glich

 Jetzt hören und vergleichen Sie.

25 **Lang (_) oder kurz (.)? Hören Sie, sprechen Sie nach und markieren Sie.**

 mȯchte   hȯren   Töpfe   öffnen   Töne   Französisch   schön   Möbel   zwölf   höflich

26 **Üben Sie.**

Langes „eeeee" = [e:]
Sagen Sie „Teeeeee"

Langes „ööööö" = [ø:]
Sagen Sie weiter „eeeee" und machen
Sie die Lippen rund (wie bei „o"):
„eeeee" wird zu „ööööö".
Sagen Sie „schöööööööööön!"

Kurzes „ö" = [œ]
Sagen Sie „öööööö" – „öööö" –
„öö" – „ö" – „ö" – „ö" …

Sagen Sie: „schȯne Töpfe" – „schȯne Töpfe" – „schȯne Töpfe"…

27 **Hören und sprechen Sie.**

Lernen
Sätze ergänzen,
Rätsel raten,
Pläne markieren,
Wörter lernen,
Töne hören,
Texte sortieren.

Schön
Späte Gäste,
volle Gläser,
Käse essen,
Musik hören …

Information
Wo gibt es hier Möbel?
Wo finde ich Töpfe?
Ich suche ein Faxgerät.
Haben Sie Schränke?
Wo finde ich Gläser?
Was kosten die? – Das geht.

Ende
Es ist sehr schön, es ist sehr spät,
es ist schon zwölf – sie geht.

Gebrauchte Sachen

28 Lesen Sie die Anzeigen und schreiben Sie die Zahlen in die Liste.

Möbel, Haushalt

1030 Küchenzeilen, Einbauküchen

EBK, m. Bosch Einbaugeräten, grau/weiß. Anschauen lohnt sich, 1300,– € VB. 069/563412

EBK über Eck, 5 Unter-/Oberschränke, weiß, rot abgesetzt, m. Spüle u. Armatur, ohne Arbeitsplatte, ohne E-Geräte, 320,– € 069/613715

Küchenzeile, 280 cm, beige-braun, m. Spüle, AEG-Umluftherd, Dunstabzugshaube, Kühlschrank, 4 Ober- u. 4 Unterschränke

1080 Kühl- und Gefrierschränke

Kühlschrank, 2-Sterne-Gefrierfach, 80,– €. 069/230340

Kühl-Gefrierkombination von Liebherr, 4 Jahre alt, sehr gut erhalten, 180,– € VB. 069/356149

Kühlschrank, 85 x 60 x 45 cm, 50,– €, 069/357153

2 Kühlschränke je 40,– €. 069/416572

1090 Waschmaschinen, Trockner

Waschmaschine, Miele, an Selbstabholer, 50,– € VB. 069/309912

WaMa, Markengerät, VB. 069/412540

Kl. WaMa, Frontlader, gt. Zust., 140,– €. 069/441408

Nagelneue Waschmaschine, 30 Proz. billiger, NP 430,– €, 069/444334

1200 Polster, Sessel, Couch

Liegesessel, schwarzer Stoff, Armlehnen, modernes Design, NP 158,– €, 40,– €. 069/ 302747

Kunstledersofa, schwarz, 4er, 1 Sessel, 120,– €. 069/317802 ab 16.30

Ledercouch mit Bettkasten, rotbraun, für 600,– €. 2 Ledersessel, cremefarben, für 450,– € VB. 069/342179

Gesucht

Suche Kuschelsofa oder Sofagruppe oder/und Sessel. 069/444385 ab 19 Uhr

Suche Bettsofa, ca. 130 x 150 cm, gerne auch Futon Sofa von Ikea. 069/525583

Suche Ledersofa, 3-Sitzer, gefedert, in gt. Zust. 0611/ 425279

Sie suchen ...	Nummer
ein Bücherregal	*1300*
eine Waschmaschine	
einen Computer	
einen Fernseher	
eine Einbauküche	
einen Kühlschrank	
eine Stehlampe	
einen Sessel	
ein Sofa	
einen Tisch	

1220 Sonstige Wohnzimmereinrichtung

Couchtisch, 150x70 cm, Kiefer massiv, 40,– €, kl. Fernsehtisch Kiefer m. Rollen, 20,– €. 069/301451

Dunkelbrauner Wohnzimmertisch. Möbel Thomas, 1 Jahr alt, sehr modern, NP 110,– €, für 50,– €, 069/307027

Weißer Marmor-Bistrotisch, Durchm. 60 cm, VB, außerdem zwei fast neue Chrom-Stühle, Sitzbezug ist aus Leder, für je 30,– €. 069/307027

1290 Gardinen, Lampen

Halogen-WZ-Lampe, aufziehbar, Gestell schwarz, auf Glasplatte, 50,– €. 069/469244

Stehlampe m. Messingfuß. 0172/6109713

Ikea Fotolampe, Dulux Energiesparlampe, 25,– €. 0611/401145

Weiße WZ-Lampe m. 6 weißen Kugeln, f. 35,– €. 0611/42579

2x Jalousien, wie neu, 110 cm breit, 150,– €. 0611/609479

Wunderschöne Mahagoni WZ-Pendelleuchte, Glasscheiben mit geschliffenem Dekor, 1-flammig, 55 cm Durchm., gleiche Beistellleuchte, 3-flammig, NP 500,– €, 150,– €. 06002/1672

Stehlampe, 06187/91565

1300 Regale

Ikea Onkel Regal, NP 49,– € für 25,– €. 069/250973

2 schwarze mod. Regale f. 120,– €. 069/456908

10 Holzregale, braun, 105x128x34cm, VB. 069/598101

Kleines Bücherregal für 10,– €. 069/702709

TV, Radio, Video

1700 Fernseher

Farb-TV, Multisystem, 50,– €. 069/29843

Kl. TV-Gerät m. FB, Schlafmodus, 28er Bild, 80,– €. 069/235668

Grundig Supercolor Stereo, 63/260 CTI, gt. Zust. m. FB, NP 800,– €. 180,– €. 069/366927

Computer

8300 Apple-Computer und Zubehör

Performa 475 mit 8 MB RAM, 270 MB FP, System, 220,– € VB. 069/231807

Nagelneues Powerbook 190, 33/66 MHz, Garantie, wg. Doppelschenkung für 25 Proz. unter NP. 069/818522

8315 PC bis 1 GHz

Fujitsu-Siemens Komplett PC T-Bird C 100, 1 GHz, incl. Maus, Tastatur, Software (u.a. Windows XP + Office XP), 1 Woche alt und wenig benutzt, 2 Jahre Garantie, 700,– €. 06172/45986

Athlon 900 MHz, 128 MB, PC 133 RAM, 64MB Grafik, 20 GB Festplatte, Netzwerkkarte, Sound und 56k-Modem onboard, USB, 50x CD-ROM, 3,5'' Floppy, ATX-Midi Tower 300 W, 420,– €. 069/344376

29 **Markieren Sie fünf Geräte oder Möbel und notieren Sie.**

Gerät	Alter	Preis	Telefonnummer
1 _Waschmaschine_	_?_	_140,–_	_069 / 441408_
2			
3			
4			
5			

30 **Was bedeuten die Abkürzungen? Ergänzen Sie.**

~~Einbauküche~~ ◆ Prozent ◆ guter Zustand ◆ mit ◆ Neupreis ◆ und ◆ Verhandlungsbasis ◆ klein ◆ für ◆ Waschmaschine

EBK   _Einbauküche_   NP

f.   Proz.

gt. Zust.   u.

kl.   VB

m.   WaMa

31 **Sie möchten Möbel oder ein Gerät verkaufen. Schreiben Sie ein Fax.**

Peter Johannson
Tel. + Fax: +49 7201 686192
18–07–04

TELEFAX   1 Seite

_An_

„das Inserat"

Fax-Nummer 06195-928-333

Sehr geehrte Damen und Herren,

bitte veröffentlichen Sie folgende Kleinanzeige
in Ihrer Zeitung:

Mit freundlichen Grüßen

G Zwischen den Zeilen

32 „Finden" oder „finden"? Markieren und ergänzen Sie.

A **finden**   Ich **finde** meinen Kuli nicht.

B **finden**   Deutsch **finde** ich **super**.

1 Bei Möbel Fun finden Sie günstige Möbel für wenig Geld.   *A*
2 Ich finde das Regal zu teuer.   *B*
3 Wie findest du die Schreibtischlampe?
4 Betten finden Sie im ersten Stock.
5 Ergänzen Sie die Regeln und finden Sie Beispiele.
6 Wo finde ich Fernseher?
7 Die Stühle finde ich unpraktisch.
8 Mist! Ich finde meinen Pass nicht.
9 Wie findest du die Stühle hier?
10 Entschuldigung, wo finde ich Frau Meyer?
11 Wie findest du Picasso?
12 Lesen Sie den Text und finden Sie die Fehler.

Was heißt „finden" in Ihrer Sprache?   A _____   B _____

33 „Sprechen" oder „sagen"? Ergänzen Sie die richtige Form.

1 Hören und ___*sprechen*___ Sie.
2 ___*Sagen*___ Sie: „schöne Töpfe".
3 In der Schweiz _____ man meistens „Grüezi!".
4 _____ Sie über die Bilder.
5 Was _____ die Leute?
6 Du _____ aber gut Deutsch.

7 Die Deutschen _____ nicht „einszehn", sondern „elf".
8 _____ Sie Englisch?
9 Ich _____ Spanisch, Englisch und etwas Deutsch.
10 In Österreich _____ wir „Servus!".

In meiner Sprache heißt **sprechen** _____ und **sagen** _____

34 Ergänzen Sie „finden", „sprechen" oder „sagen".

Francis und Ewa _____ (1) über den Deutschkurs. „Wie ___*findest*___ (2) du den Kurs?", fragt Francis.
„Nicht schlecht", _____ (3) Ewa, „wir hören und _____ (4) viel, das _____ (5) ich gut."
„Das _____ (6) ich auch gut", _____ (7) Francis, „aber Deutsch ist schwierig. Ich _____ (8)
oft nicht die richtigen Wörter."
„Die Grammatik _____ (9) ich auch schwierig.", _____ (10) Ewa. „Du _____ (11) doch auch
Englisch. Was _____ (12) du schwieriger: Deutsch oder Englisch?", fragt Francis. „Ich weiß nicht",
_____ (13) Ewa, „vielleicht Deutsch. Auf Englisch _____ (14) man nur ‚you', auf Deutsch heißt es
‚du' oder ‚Sie'."

Testen Sie sich!

Was ist richtig: a, b oder c? Markieren Sie bitte.

Beispiel:
- Wie heißen Sie?
- Mein Name _____ Schneider.
  - ☐ a) hat
  - ☒ b) ist
  - ☐ c) heißt

1. ● Ich glaube, das _____ indisches Geld.
   ■ Ja, das _____ Rupien, so _____ das Geld in Indien.
   - ☐ a) sind … ist … heißt
   - ☐ b) sein … sein … heißen
   - ☐ c) ist … sind … heißt

2. ● Guten Tag, ich möchte hunderttausend Yen in Euro _____.
   ■ Hunderttausend Yen, das sind genau neunhundertzwanzig Euro.
   - ☐ a) wechseln
   - ☐ b) bestellen
   - ☐ c) nehmen

3. ● Wie findest du das Sofa?
   ■ Ganz hübsch, aber _____.
   - ☐ a) zu teuer
   - ☐ b) toll
   - ☐ c) praktisch

4. ● Wir suchen die Teppichabteilung.
   ■ _____ finden Sie ganz da hinten.
   - ☐ a) Teppich
   - ☐ b) Teppiche
   - ☐ c) Teppichabteilung

5. ● Schau mal, der Teppich hier, der ist doch toll.
   ■ _____ finde ich langweilig.
   - ☐ a) Der
   - ☐ b) Das
   - ☐ c) Den

6. ● Wo sind denn die Lampen?
   ■ _____, wir haben keine Lampen.
   - ☐ a) Schau mal
   - ☐ b) Tut mir Leid
   - ☐ c) Natürlich

7. ● In Deutschland hat _____ die Hälfte der Haushalte (59 Prozent) eine Mikrowelle.
   - ☐ a) über
   - ☐ b) etwa
   - ☐ c) fast

8. ● Hast du ein Fahrrad?
   ■ Nein, ich habe _____, aber ich habe _____ Auto.
   - ☐ a) eins … kein
   - ☐ b) ein … kein
   - ☐ c) keins … ein

9. ● Haben Sie keine Fahrräder?
   ■ _____. Die Sportabteilung ist im Untergeschoss.
   - ☐ a) Ja, natürlich
   - ☐ b) Doch, natürlich
   - ☐ c) Nein, leider nicht

10. ● Ich suche ein Fahrrad.
    ■ _____ suchen Sie denn?
    - ☐ a) Was
    - ☐ b) Was für einen
    - ☐ c) Was für eins

11. ● Entschuldigung, ich suche ein Sofa.
    ■ _____ finden Sie ganz da hinten.
    - ☐ a) Sofas
    - ☐ b) Sofa
    - ☐ c) –

12. ● Wo gibt es denn hier _____?
    ■ Gleich hier vorne. Was für einen _____ suchen Sie denn?
    - ☐ a) Topf … Topf
    - ☐ b) Töpfe … Topf
    - ☐ c) Töpfe … Töpfe

13. ● Sie verkaufen eine Waschmaschine für dreihundert Euro? _____ die auch?
    ■ Ja, natürlich. Die ist erst drei Jahre alt.
    - ☐ a) Funktioniert
    - ☐ b) Kostet
    - ☐ c) Ist

14. ● Was bedeutet die Abkürzung VB?
    ■ VB heißt _____, das findet man oft in Kleinanzeigen.
    - ☐ a) Verb
    - ☐ b) Volleyball
    - ☐ c) Verhandlungsbasis

15. ● Sie verkaufen _____ Computer? Wie viel kostet _____ denn?
    ■ Achthundert Euro, _____ ist erst drei Monate alt.
    - ☐ a) ein … das … das
    - ☐ b) einen … der … der
    - ☐ c) – … die … die

Selbstkontrolle

1 Sie sind im Kaufhaus und suchen ... Was fragen Sie an der Information?

_____

2 Was haben Sie? Was haben Sie nicht? Was brauchen Sie? Was brauchen Sie nicht?

Ich habe eine _____ *, aber keine* _____

Ich habe einen _____

Ich habe kein _____

Ich brauche _____

3 Widersprechen Sie.

Der Tisch ist doch toll.   *Den finde ich nicht so schön.* _____

Die Stehlampe ist langweilig.   _____

Der Sessel ist sehr originell.   _____

Das Bett ist unpraktisch.   _____

Die Stühle sind günstig.   _____

4 *erst, schon, fast, über, etwa:* Was antworten Sie?

Wie lange sind Sie denn schon hier in ... ?   _____

Wie lange lernen Sie denn schon Deutsch?   _____

Wie viel verdienen Sie denn im Monat?   _____

Wie alt ist denn Ihr Auto?   _____

5 Gebrauchte Sachen: Preis, Alter, ...

Sie suchen ein gebrauchtes Fahrrad. Sie lesen eine Anzeige und telefonieren. Was fragen Sie?

> He.-Fahrrad, 5-Gang, 1991, Np 600,–, VB 80,–. Tel. 73 35 98 22

_____

_____

_____

Ergebnis:	✔✔	✔	–
1 sich im Kaufhaus orientieren und um Informationen bitten			
2 über eigene Sachen sprechen			
3 seine Meinung sagen und widersprechen			
4 Zeitangaben machen			
5 Anzeigen lesen und schreiben			
Außerdem:			
über eine Statistik sprechen			
den Satzakzent erkennen			

Lernwortschatz

Kursiv gedruckte Wörter sind Wortschatz der Niveaustufe A2 oder B1. Diese Wörter müssen Sie nicht für die Prüfung **Start Deutsch 1 / Start Deutsch 1z** lernen.

Nomen

Abteilung die, -en	_____	Notiz die, -en	_____
Angebot das, -e	_____	Preis der, -e	_____
Anzeige die, -n	_____	Prozent das, -e	_____
Bett das, -en	_____	Quadratkilometer	
Buch das, ¨er	_____	der, - (km²)	_____
Couch die, -s	_____	*Regal das, -e*	_____
Einwohner der, -	_____	Schrank der, ¨e	_____
Erdgeschoss das, -e	_____	*Sessel der, -*	_____
Fahrrad das, ¨er	_____	*Sonderangebot das, -e*	_____
Farbe die, -n	_____	*Staubsauger der, -*	_____
Fotoapparat der, -e	_____	Stock der, Stockwerke	_____
Geld das (nur Singular)	_____	Stuhl der, ¨e	_____
Gespräch das, -e	_____	Stunde die, -n	_____
Glas das, ¨er	_____	Teil der, -e	_____
Größe die, -n	_____	*Teppich der, -e*	_____
Hälfte die	_____	Tisch der, -e	_____
(hier nur Singular)		Topf der, ¨e	_____
Hauptstadt die, ¨e	_____	Verkäufer der, -	_____
Haushalt der, -e	_____	*Viertel das, -*	_____
Kasse die, -n	_____	(ein Viertel der Deutschen)	
Kosmetik die (nur Singular)	_____	*Währung die, -en*	_____
Küche die, -n	_____	*Waschmaschine die, -n*	_____
Kühlschrank der, ¨e	_____	*Werbung die, -en*	_____
Kunde der, -n	_____	*Zeitschrift die, -en*	_____
Million die, -en	_____	Zeitung die, -en	_____
Möbelstück das, Möbel	_____	*Zustand der, ¨e*	_____

Verben

ausgeben	_____	kaufen	_____
bekommen	_____	kosten	_____
brauchen	_____	(Was kostet das Sofa?)	_____
finden	_____	sammeln	_____
(Wo finde ich … ?)		schauen	_____
finden	_____	stimmen	_____
(Wie findest du das Sofa?)		verkaufen	_____
funktionieren	_____	wechseln	_____

Adjektive

andere	_____	langweilig	_____
bequem	_____	modern	_____
billig	_____	nett	_____
egal	_____	praktisch	_____
einfach	_____	schlecht	_____
gebraucht	_____	schön	_____
günstig	_____	super	_____
interessant	_____	teuer	_____
jung	_____	toll	_____
krank	_____	wenige	_____

andere Wörter / Ausdrücke

aber	_____	inzwischen	_____
Auf Wiederhören!	_____	leider	_____
bis	_____	nächst-	_____
(so für 150 bis 200 Euro)		na klar	_____
da hinten	_____	oft	_____
dann	_____	ohne	_____
da vorne	_____	(ein) paar	_____
dies-	_____	Recht haben	_____
dort	_____	warum?	_____
erst	_____	wieder	_____
fast	_____	wieso?	_____
gar nicht teuer	_____	wie viel?	_____
ganz hübsch	_____	wie viele?	_____
genauso viele	_____	zirka	_____
in Ruhe lassen	_____	zu groß	_____

Im Supermarkt

A Kleine Geschenke erhalten die Freundschaft

1 Welche Lebensmittel kennen Sie schon auf Deutsch? Schreiben Sie Wortkarten.

trinken _____ essen _____

der Kaffee

das Mineralwasser

die Orange, –n

das Mehl

Ein paar Lebensmittel und fast
alle Getränke haben keinen
Plural. Man sagt:
2 (Tassen) Kaffee,
3 (Gläser) Mineralwasser,
4 (Flaschen) Bier,
2 Kilo Mehl,
3 (Becher) Joghurt

2 Sortieren Sie die Wortkarten in Gruppen.

trinken – essen
teuer – günstig
in Deutschland – in Ihrem Heimatland
Das esse ich gern – nicht so gern.
Das esse ich oft – nicht so oft.
Das essen/trinken die Leute in Ihrem Heimatland – in Deutschland.
Das essen/trinken Kinder gern – nicht gern.

Schreiben Sie.

1 Ich esse gern _____ und _____ .
2 Ich trinke kein _____ , aber ich trinke oft _____ .
3 Bei uns in _____ isst man viel _____ und man trinkt _____ .
4 In Deutschland trinkt man viel _____ und isst gern _____ .
5 In _____ sind _____ nicht teuer, aber hier in _____ .
6 Kinder essen gern _____ , aber sie essen nicht gern _____ .

3 Ergänzen Sie die Personalpronomen.

dir ◆ uns ◆ ~~mir~~ ◆ ihm ◆ euch ◆ ihnen ◆ uns ◆ ihr ◆ Ihnen

Der Kellner bringt …

1 _mir_ (ich) ein Wasser.

2 _____ (du) ein Bier.

3 _____ (Karl) eine Tasse Tee.

4 _____ (Susanne) eine Tomatensuppe.

5 _____ (Kind) Milch.

6 _____ (wir) die Speisekarte.

7 _____ (ihr) noch eine Pizza.

8 _____ (Martina und Reiner) den Nachtisch.

9 _____ (Sie) die Rechnung.

Nominativ	ich	du	er	sie	es	wir	ihr	sie	Sie
Dativ		*dir*							

4 Ergänzen Sie die Personalpronomen.

Kleine Geschenke erhalten die Freundschaft

(frei nach Ephraim Kishon)

Ein Freund schenkt ___*mir*___ Pralinen.

Ich esse keine Pralinen. Aber **du** hast bald Geburtstag. Ich schenke ___*dir*___ die Pralinen.

Du isst auch keine Pralinen. Aber deine Mutter hat bald Namenstag. Du schenkst _____ die Pralinen.

Sie macht eine Diät. Aber ein Kollege hat bald Jubiläum. Sie schenkt _____ die Pralinen.

Er macht auch eine Diät. Aber ihr habt bald Hochzeitstag. Er schenkt _____ die Pralinen.

Ihr esst keine Pralinen, aber ihr habt Freunde. Sie heiraten bald. Ihr schenkt _____ die Pralinen.

Sie essen auch keine Pralinen. Aber wir haben eine neue Wohnung und machen ein Fest. Sie schenken _____ die Pralinen.

Wir machen einen Fehler: Wir öffnen die Pralinen. – Oh!

Möchten Sie vielleicht Pralinen? Ich schenke _____ gern ein paar Pralinen …

Du hast bald Geburtstag.
Ich schenke **dir** die Pralinen.

A 4-A

5 Schreiben Sie Sätze.

1 Papa! Schau mal, Luftballons. _Kaufst du mir einen Luftballon_ ?
mir / du / kaufst / einen Luftballon

2 Vera hat Geburtstag. _____ .
schenkt / ihr / Daniel / einen Volleyball

3 Ihr sucht einen Kühlschrank? Ich habe zwei. _____ .
gebe / ich / einen / euch

4 Thomas hat Geburtstag. _____ .
ihm / Anna / kauft / ein Überraschungsei

5 Wir möchten Möbel kaufen und haben kein Auto. _____ ?
du / dein Auto / gibst / uns

6 Möchten Sie vielleicht Pralinen? _____ .
schenke / gern / ein paar Pralinen / Ihnen / ich

6 **Antworten Sie.**

1 Kaufst du mir Süßigkeiten? – Gut, ich kaufe *dir* ein Überraschungsei.
2 Wann gibst du Richard endlich die 50 Euro zurück? – Ich gebe _____ das Geld gleich morgen zurück.
3 Schreibst du mir eine Karte? – Ja klar, ich schreibe _____ aus dem Urlaub.
4 Was schenkst du Susanne zum Geburtstag? – Ich schenke _____ Blumen.
5 Kaufst du uns ein Eis? – Nein, heute kaufe ich _____ nichts.
6 Was bringst du denn Eva und Viktor zur Party mit? – Ich bringe _____ wieder Pralinen mit.

7 **Ergänzen Sie die Personalpronomen.**

1 Ich schenke *ihm* (Klaus) ein Spielzeugauto.
2 Er schenkt _____ (Vera) einen Ball.
3 Bringst du _____ (ich) Zigaretten mit?
4 Klara hat Geburtstag. Thomas kauft _____ Blumen.
5 Klaus hat Geburtstag. Ich schenke _____ ein Spielzeugauto.
6 Der Vater kauft _____ (Merle und Chris) Süßigkeiten.
7 Du gibst _____ (Merle) sofort das Feuerzeug zurück!
8 Max und Marlene machen eine Party. Wir bringen _____ Blumen mit.

KURSBUCH
A 6

B **Geben und Nehmen**

8 **Ergänzen Sie die fehlenden Verbformen.**

Hilfe! Hilfe!

Hilfe!

Ich helfe dir
und du *hilfst* mir,

sie *hilft* ihm
und er _____ ihr,

wir _____ euch
und ihr _____ uns,

sie _____ Ihnen
und Sie _____ ihnen.

Geben und nehmen

Du gibst – ich nehme,
du nimmst – ich gebe:
wir tauschen.

Du gibst – sie nimmt,
du _____ – sie _____:
ihr tauscht.

Sie gibt – er _____,
sie _____ – er _____:
sie tauschen.

Wir _____ – ihr nehmt,
wir _____ – ihr _____:
wir tauschen.

Ihr _____ – sie _____,
ihr _____ – sie _____:
ihr tauscht.

Und Sie?
_____ Sie? – Nehmen Sie?
Tauschen Sie auch?

Jetzt hören und vergleichen Sie.
Lesen Sie dann die Texte noch einmal laut.

9 **Ergänzen Sie die Verben.**

1 nehmen: Ich _nehme_ einen Kaffee. Und was _____ du?

2 sprechen: _____ Sie Deutsch? – Nein, ich _____ leider nur Englisch.

3 helfen: Er _____ Sarah. Und sie _____ ihm.

4 essen: Was _____ wir heute Abend?

5 geben: _____ du mir bitte mal dein Feuerzeug?

6 nehmen: Was _____ ihr? Tee oder Kaffee?

7 sprechen: Claudio _____ nur wenig Deutsch.

8 helfen: _____ du Jutta, bitte!

10 **Ergänzen Sie die Tabelle.**

	nehmen	sprechen	helfen	geben	essen
ich	_nehme_				
du			_hilfst_		
sie/er/es					_isst_
wir				_geben_	
ihr		_sprecht_			
sie/Sie					_essen_

11 **Ergänzen Sie die Personalpronomen im Dativ oder Nominativ.**

1 Vera ist Flugbegleiterin von Beruf. _Sie_ hat morgen Geburtstag.
Ich schenke _ihr_ eine Lampe.

2 Meine Eltern fahren nach Italien.
Ich schenke _____ einen neuen Fotoapparat.

3 Das ist Daniel. _____ ist Kellner.
Was bringt _____ den Gästen? – Er bringt _____ zwei Glas Wein.

4 Claudia und ich essen gerne Süßigkeiten.
Peter schenkt _____ Pralinen.

5 Das sind Karin und Peter. _____ haben ein Haus mit Garten.
Ich schenke _____ Gartenstühle.

6 Herr Bauer gibt Michael und Eva drei Euro.
_____ kaufen ein Eis und geben _____ einen Euro zurück.

7 Woher kommt Antonio?
Ich glaube, _____ kommt aus Italien. _____ ist Arzt.

8 Mama raucht. Papa schenkt _____ ein Feuerzeug.

9 Das Kind ist traurig. Ich gebe _____ ein Spielzeugauto.

10 Die Leute warten schon lange an der Kasse. _____ sind sauer.

11 Wo sind die Kinder? – _____ sind in Michaels Zimmer. – Bringst du _____ die Limonade?

12 _____ bin Peter! Und wer bist _____?

12 Ergänzen Sie die Personalpronomen.

Frau Bauer und ihre Tochter Kathrin sind im Supermarkt. _Sie_ (1) warten an der Kasse. Kathrin möchte ein Überraschungsei. _____ (2) fragt: „Mama, kaufst _____ (3) _____ (4) ein Überraschungsei?" Frau Bauer sagt: „Nein, heute kaufe _____ (5) _____ (6) kein Überraschungsei. _____ (7) haben noch genug Süßigkeiten zu Hause." Aber Kathrin weint. _____ (8) denkt: „Vielleicht kauft Mama _____ (9) doch ein Überraschungsei." Kathrin weint und weint. Frau Bauer bleibt nicht hart und sagt: „Gut. _____ (10) kaufe _____ (11) ein Überraschungsei." Der Kassierer denkt: „Gut! _____ (12) kauft _____ (13) endlich eine Süßigkeit." Frau Bauer gibt _____ (14) einen Fünfzigeuroschein und sagt: „Warum stellen _____ (15) die Süßigkeiten nicht ins Regal?" Kathrin weint nicht mehr. _____ (16) lacht. Der Kassierer lacht auch!

C # Können Sie mir helfen?

13 **Was steht auf dem Küchentisch? Markieren Sie.**

✓ Butter   Waschpulver
Käse   Gulasch
Öl   Pizza
Hefe   Zucker
10 Eier   Toastbrot
Fisch   1 l Milch
2 Fl. Bier   Mehl
Pfeffer

14 **Hören und markieren Sie.**

1 Ein Kilo Kartoffeln kostet
☐ 2,00 €.
☐ 1,10 €.

4 Die Frau
☐ möchte 125 g und bekommt etwas mehr Salami.
☐ möchte 125 g und bekommt 125 g Salami.

2 Die Frau kauft
☐ das 5-Kilo-Paket für 6,85 €.
☐ das 3-Kilo-Paket für 4,65 €.

5 Der Mann kauft
☐ eine Tüte Milch.
☐ eine Flasche Milch.

3 Es gibt kein Mirdir-Bier
☐ im Kasten.
☐ im Sechserpack.

KURSBUCH C 1

15 **Was passt zusammen? Ergänzen Sie.**

250 g ◆ 2,60 € ◆ 1/2 l ◆ 3 l ◆ 5 kg ◆ 620,– € ◆ 0,79 € ◆
~~1/4 l~~ ◆ 1/2 kg ◆ ~~0,25 l~~ ◆ 500 g ◆ ~~125 g~~ ◆ 6,20 € ◆ 0,5 l

Man schreibt	Man sagt	Man schreibt	Man sagt
_1/4 l ; 0,25 l ; 125 g_	ein Viertel ...		ein halbes Pfund
	sechs Euro zwanzig		ein Pfund
	zwei Euro sechzig		sechs zwanzig
	drei Liter		neunundsiebzig Cent
	ein halbes Kilo		zweihunderfünfzig Gramm
	ein halber Liter		sechshundertzwanzig Euro
	fünf Kilo		

16 **Was passt wo? Ergänzen Sie.**

Flasche *(f)* ◆ Paket *(n)* ◆ Tüte *(f)* ◆ Schachtel *(f)* ◆ Packung *(f)* ◆ Liter *(m)* ◆
Gramm *(n)* ◆ Kilo *(n)* ◆ Dose *(f)*

17 **Hören Sie, sprechen Sie nach und markieren Sie den Wortakzent.**

~~Äpfel~~ ◆ Bananen ◆ Bier ◆ Bonbons ◆ Brot ◆ Butter ◆ Camembert ◆ Curry ◆
~~Eier~~ ◆ Eis ◆ Fisch ◆ Gouda ◆ Jasmintee ◆ Joghurt ◆ Kartoffeln ◆
Kaugummis ◆ Klopapier ◆ Kuchen ◆ Mehl ◆ Milch ◆ Mineralwasser ◆
Orangen ◆ Pfeffer ◆ Pizza ◆ Putzmittel ◆ Reis ◆ Salami ◆ Salat ◆ Salz ◆
Schinken ◆ Schokolade ◆ Tomaten ◆ Waschmittel ◆ Wein ◆ Würstchen ◆ Zucker

Wo gibt es was? Sortieren Sie.

Backwaren	Fleischwaren	Gemüse	Getränke	Gewürze	Haushaltswaren

Käse	Milchprodukte	Obst	Spezialitäten	Süßwaren	Tiefkühlkost
		Äpfel			

andere Lebensmittel _Eier_

KURSBU C 2

KURSBU C 3-C

D **Der Ton macht die Musik**

 18 **Hören und markieren Sie: „u" oder „ü"?**

Vergleichen Sie: Stuhl [u:] Stühle [y:]
Mutter [ʊ] Mütter [y]

Nr.	u	ü	Nr.	u	ü	Nr.	u	ü	Nr.	u	ü
1	X		7			13			19		
2		X	8			14			20		
3	X		9			15			21		
4			10			16			22		
5			11			17			23		
6			12			18			24		

19 **Lang (_) oder kurz (.)? Hören Sie, sprechen Sie nach und markieren Sie.**

süß   Stück   fünf   üben   Tür   über   flüstern   Gemüse   Würstchen
Bücher   Küche   Tüte   für   wünschen   Stühle   gemütlich   günstig   natürlich

20 **Üben Sie.**

Langes „iiiiiiii" = [i:]
Sagen Sie „Siiiiiiiiie"

Langes „üüüüü"= [y:]
Sagen Sie weiter „iiiiiii" und
machen Sie die Lippen rund (wie
bei „o"): „iiiii" wird zu „üüüüü".
Sagen Sie „süüüüüüüüüüüüß!"

Kurzes „ü" = [y]
Sagen Sie "üüüüü" – "üüüü" –
„üü" – „ü" – „ü" – „ü" …

Sagen Sie: „süße Stücke" – „süße Stücke" …

Zum Geburtstag viel Glück.
Zum Geburtstag viel Glück.
Viel Glück zum Geburtstag.
Zum Geburtstag viel Glück!

21 **Hören Sie und sprechen Sie nach.**

vier – für   hier – Tür   spielt – spült   lieben – üben   viele – Stühle
Tiefkühltruhe   Spülmaschine   Überschrift   Süßwaren   nützliche Ausdrücke

 22 **Üben Sie.**

Geburtstag	Feierabend	Tschüs
Sieben Bücher wünsch' ich mir,	*Die Küche um sieben:*	*Wo ist die Tür?*
natürlich schenkt er mir nur vier.	*Sie spielt – er spült*	*Die Tür ist hier.*
Sieben Bücher ich mir wünsch' –	*gemütlich*	*Tschüs!*
vielleicht schenkt er mir ja auch fünf?		

KURSBUCH
E 1–E 3

Im Feinkostladen

23 **Was sagt der Kunde? Ergänzen Sie bitte.**

> ~~Guten Tag!~~ ◆ Nein, danke. Das wär's . ◆ Ja, ein Pfund Tomaten, bitte. ◆ Nein, das ist ein bisschen viel. ◆
> Ja, gut. Aber bitte nur ein Pfund. ◆ Hier bitte, 20 Euro ◆
> ~~Ich hätte gern ein Viertel Mailänder Salami.~~ ◆ Ja, bitte. ... Danke. ... Wiedersehen! ◆
> Nein, danke. Was kostet denn das Bauernbrot da? ◆ Haben Sie Jasmintee?

Die Verkäuferin sagt:

Der Kunde sagt:

Guten Tag! ↘ *Sie* <u>wün</u>*schen?* ↗

Guten Tag! ↘
Ich hätte gern ein Viertel Mailänder Salami.

Darf´s ein bisschen mehr sein?   160 Gramm?

Haben Sie noch einen Wunsch?

Darf´s noch etwas sein?

Nein, tut mir Leid.   Den bekommen wir erst morgen
wieder.   Möchten Sie vielleicht einen anderen Tee?

3,80 das Kilo.

Sonst noch etwas?

Das macht dann ... 5 Euro 80.

Und 14,20 zurück.   Möchten Sie vielleicht eine Tüte?

Vielen Dank und auf Wiedersehen!

44 **Hören und vergleichen Sie.**

Markieren Sie den Satzakzent (＿) und die Satzmelodie (↗ oder ↘).

44 **Dann hören Sie den Dialog noch einmal, vergleichen Sie und sprechen Sie nach.**

Ich suche Orangen.
Haben Sie Orangen?

24 **Jetzt sind Sie Kunde im Lebensmittelgeschäft. Hören und sprechen Sie.**

45

> **!** = *Ich hätte gern ...*
> *..., bitte.*
>
> **?** = *Haben Sie ... ?*
>
> **?Preis?** = *Was kostet ... ?*
> *Was kosten ... ?*

!	200 g Gouda	⇒	am Stück
?Preis?	Orangen?	⇒	2 kg
?	Kandiszucker?	⇒	1 Paket
!	3 Bananen		
?	Basmati-Reis?	⇒	1 Pfund
!	2 Flaschen Cola	⇒	4 Dosen
?Preis?	Kaffee?	⇒	500 g
!	ein Viertel Salami	⇒	+
	...		

25 **Welches Wort passt *nicht*? Warum? Markieren und ergänzen Sie.**

keine/eine	Süßware	Fleischware	Haushaltsware	
kein/ein	Getränk	Gewürz	Lebensmittel	Obst
	Milchprodukt	Gemüse	Spielzeug	

Beispiel: Käse, Quark, Joghurt, ~~Cola~~   *Das ist ein Getränk und kein Milchprodukt.*

1   Mineralwasser, Tomaten, Wein, Bier

2   Wurst, Putzmittel, Schinken, Salami

3   Curry, Luftballon, Salz, Pfeffer

4   Orangen, Bananen, Kartoffeln, Äpfel

5   Salami, Milch, Butter, Käse

6   Schokoriegel, Bonbon, Klopapier, Lolli

7   Tomaten, Salat, Orangen, Kartoffeln

KURSBUCH
E 4

F   Zwischen den Zeilen

26 **Machen Sie aus einem Wort zwei Wörter.**

Beispiele: das Milchprodukt   die Milch + das Produkt
                    die Dosenmilch   die Dose(n) + die Milch
                    die Haushaltswaren   der Haushalt(s) + die Ware(n)

1   die Fleischwaren

2   das Vanilleeis

3   das Spielzeugauto

4   der Luftballon

5   das Klopapier

6   das Toastbrot

7   der Butterkäse

8   der Apfelkuchen

9   der Orangensaft

10   die Pralinenschachtel

11   das Lammfleisch

> Viele deutsche Wörter sind „Komposita" (2 Wörter → 1 langes Wort).
> Bei Komposita bestimmt das letzte Wort den Artikel.

27 **Wie heißen die Wörter? Schreiben Sie.**

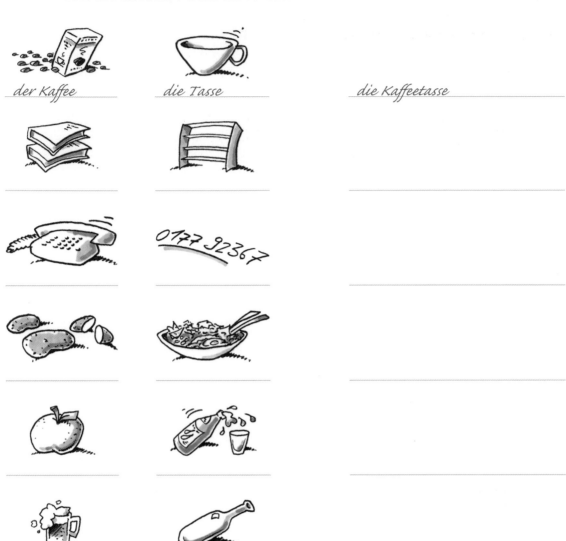

der Kaffee   _die Tasse_   _die Kaffeetasse_

28 **Machen Sie aus einem Wort zwei Wörter.**

1	Kaffeetasse	_der Kaffee_	_die Tasse_
2	Tomatensoße		
3	Weinglas		
4	Wortakzent		
5	Fotoapparat		
6	Küchentisch		
7	Bücherregal		
8	Schokoladenkuchen		

G Kaffeeklatsch

29 **Imperativ: Ordnen Sie die Verben in die Tabelle ein.**

~~machen~~ ◆ ~~nehmen~~ ◆ essen ◆ trinken ◆ bleiben ◆ geben ◆ kaufen ◆ fragen ◆ bestellen ◆ ~~sein~~

	Typ „machen"	Typ „nehmen"	sein
du	Mach!	Nimm!	
Sie	Machen Sie!		Seien Sie!
ihr		Nehmt!	

30 **A** **Sie haben Besuch von Frau und Herrn Müller.**
Schreiben Sie Sätze.

1   an der Wohnungstür: kommen – herein
Kommen Sie doch herein!

2   im Wohnzimmer: Platz nehmen

3   beim Kaffeetrinken: noch ein Stück Kuchen nehmen
noch eine Tasse Kaffee trinken

4   nach dem Kaffeetrinken: noch zum Abendessen bleiben

5   nach dem Abendessen: lieber ein Taxi nehmen

6   an der Tür: bald wieder zu Besuch kommen
gut nach Hause kommen

B Sie haben Besuch von Albert und Sabine. Ergänzen Sie das Verb in der richtigen Form.

1 Hallo, ihr beiden, _kommt_ (kommen) rein!

2 _____ (nehmen) Platz!

3 _____ (bleiben) doch noch ein bisschen!

4 _____ (essen) doch noch zu Abend bei uns!

5 _____ (kommen) gut nach Hause!

C Sie haben Besuch von Peter. Ergänzen Sie das passende Verb in der richtigen Form.

1 _Komm_ doch herein und _____ Platz!

2 _____ doch noch zum Abendessen!

3 _____ doch noch eine Tasse Kaffee!

4 _____ doch noch ein Stück Kuchen!

5 _____ bald wieder zu Besuch!

6 _____ lieber ein Taxi! Es ist schon spät!

7 _____ gut nach Hause!

G 4-G

---

31 Ergänzen Sie das passende Verb in der richtigen Form.

essen ◆ trinken ◆ gehen ◆ schauen ◆ fragen ◆ ~~schreiben~~ ◆ machen ◆ schenken

1 Ich vergesse immer die Wörter. – _Schreib_ doch Wortkarten!

2 Hast du Silvias Telefonnummer? – Nein, aber _____ doch im Telefonbuch!

3 Wo ist denn die Milch? – _____ doch einen Verkäufer!

4 Ich trinke keinen Alkohol. – Dann _____ doch Wasser!

5 Ich bin zu dick. – _____ doch Sport und _____ nicht so viel!

6 Klaus hat Geburtstag. Hast du eine Idee? – _____ ihm doch ein Buch!

7 Die Kinder sind so nervös! – Dann _____ doch mit ihnen in den Park!

---

32 Imperativ (↘) oder Ja/Nein-Frage (↗)? Hören Sie und ergänzen Sie „?" oder „!".

46

1 Kommen Sie zur Party ▢

2 Nehmen Sie eine Gulaschsuppe ▢

3 Trinken Sie Buttermilch ▢

4 Kaufen Sie „das inserat" ▢

5 Spielen Sie Lotto ▢

6 Machen Sie einen Deutschkurs ▢

7 Bezahlen Sie mit Scheck ▢

8 Fliegen Sie nach Australien ▢

Üben Sie die Sätze als Aufforderungen (↘) und als Fragen (↗).

Testen Sie sich!

Was ist richtig: a, b oder c? Markieren Sie bitte.

Beispiel:
- ● Wie heißen Sie?
- ■ Mein Name _____ Schneider.
  - ☐ a) hat
  - ✗ b) ist
  - ☐ c) heißt

1 ● Papa, kaufst du uns ein Eis?
  ■ Nein, _____ kaufe _____ heute

  _____ .
  - ☐ a) ich … euch … kein Eis
  - ☐ b) ich … kein Eis … euch
  - ☐ c) kein Eis … euch … ich

2 ● _____ du mir bitte mal das Feuerzeug?
  ■ Ja, natürlich. Hier, bitte.
  - ☐ a) Nimmst
  - ☐ b) Tauschst
  - ☐ c) Gibst

3 ● Was schenkst du Patrick zum Geburtstag?
  ■ Ich weiß nicht genau, vielleicht kaufe ich

  _____ ein Spielzeugauto.
  - ☐ a) dir
  - ☐ b) ihr
  - ☐ c) ihm

4 ● Helft _____ bitte mal?
  ■ Na klar, wir helfen _____ gerne.
  - ☐ a) ihr wir … sie
  - ☐ b) ihr uns … euch
  - ☐ c) ihr euch … uns

5 ● Kaufst du deinen Kindern immer Schokolade
  oder Eis im Supermarkt?
  ■ Nicht immer, zu viele _____
  sind doch nicht gut für Kinder.
  - ☐ a) Süßigkeiten
  - ☐ b) Spielsachen
  - ☐ c) Gummibärchen

6 ● Was kostet die Butter?
  ■ Ein _____ kostet neunund-
  neunzig Cent.
  - ☐ a) Kasten
  - ☐ b) halbes Pfund
  - ☐ c) Liter

7 ● Entschuldigung, wo finde ich hier Fisch?
  ■ Fisch gibt es nur _____,
  ganz da hinten.
  - ☐ a) bei der Tiefkühlkost
  - ☐ b) beim Gemüse
  - ☐ c) bei den Getränken

8 ● Entschuldigen Sie bitte, ich suche Waschmittel.
  ■ Gleich hier vorne, bei den Haushaltswaren.
  ● Vielen Dank.
  ■ _____ .
  - ☐ a) Ja, bitte
  - ☐ b) Danke
  - ☐ c) Bitte, bitte

9 ● Können Sie mir helfen? Wo gibt es hier Tee?
  ■ Tee? Im nächsten _____ rechts, im
  zweiten _____ oben, beim Kaffee.
  - ☐ a) Regal … Gang
  - ☐ b) Gang … Regal
  - ☐ c) Supermarkt … Gang

10 ● Ich hätte gern ein halbes Pfund Butterkäse.
  ■ Am Stück oder _____?
  - ☐ a) eine Tüte
  - ☐ b) darf's ein bisschen mehr sein
  - ☐ c) geschnitten

11 ● Ein Paket Kandiszucker, bitte.
  ■ Bitte sehr. _____?
  - ☐ a) Sonst noch etwas
  - ☐ b) Sie wünschen
  - ☐ c) Das ist alles

12 ● Einen Liter Milch, bitte.
  ■ _____ ?
  - ☐ a) Ein Paket oder eine Schachtel
  - ☐ b) Eine Tüte oder eine Flasche
  - ☐ c) Eine Dose oder einen Kasten

13 ● Was heißt denn „gemein"?
  ■ Das weiß ich auch nicht. _____ .
  - ☐ a) Schau doch ins Wörterbuch
  - ☐ b) Gib mir mal einen Tipp
  - ☐ c) Mach doch einen Kurs

14 ● Nach dem Volleyball haben wir immer
  Hunger.
  ■ Dann _____ doch etwas!
  - ☐ a) essen
  - ☐ b) iss
  - ☐ c) esst

15 ● Was darf's sein?
  ■ Ich möchte eine Kleinigkeit essen.

  _____ mir doch mal einen Tipp!
  - ☐ a) Gib mir
  - ☐ b) Geben Sie
  - ☐ c) Sie geben

Selbstkontrolle

1 Lebensmittel

a) Welche Lebensmittel kaufen und essen und trinken Sie oft?

_____

_____

b) Welche Lebensmittel essen Sie

morgens?	mittags?	abends?

2 Wo gibt es das im Supermarkt?

	findet man	bei der
	gibt es	bei dem
	steht/ist	bei den

3 Einkaufen

Sie suchen im Supermarkt Hefe, … Was sagen oder fragen Sie?

_____ oder _____

Hat der Laden/Supermarkt Walnussöl, Kandiszucker, … ? Wie fragen Sie?

_____ oder _____

Sie sind im Feinkostladen und brauchen Käse, … Was sagen Sie?

_____

4 Was passt? Sie sagen: „…, bitte."

Eine Dose	_Tomaten_	Ein Kilo	_____
Eine Packung	_____	100 Gramm	_____
Eine Flasche	_____	Einen Liter	_____
Eine Schachtel	_____	Einen Kasten	_____

5 Der Imperativ: Ratschläge und Bitten.

Jemand sagt oder fragt:	Sie antworten:
Was heißt „Bauernhof"?	_schau doch ins_
Wir haben kein Geld dabei.	
Ich möchte eine Kleinigkeit essen.	

Sie haben Besuch:	Sie sagen:
an der Wohnungstür	_Komm doch herein._
im Wohnzimmer	
beim Kaffeetrinken	

Ergebnis:	✔✔	✔	–
1 Wortschatz „Lebensmittel"			
2 sich im Supermarkt orientieren			
3 im Supermarkt und im Feinkostladen einkaufen			
4 Mengenangaben machen			
5 Tipps/Ratschläge geben; Bitten formulieren			
Außerdem:			
Durchsagen im Supermarkt verstehen			
einen Prospekt lesen			
nach dem Preis fragen			

Lernwortschatz

Kursiv gedruckte Wörter sind Wortschatz der Niveaustufe A2 oder B1. Diese Wörter müssen Sie nicht für die Prüfung **Start Deutsch 1 / Start Deutsch 1z** lernen.

Nomen

Banane die, -n _____

Bonbon das, -s _____

Brot das, -e _____

Bruder der, ⸚ _____

Büro das, -s _____

Butter die (nur Singular) _____

Chance die, -n _____

Dose die, -n _____

Durchsage die, -n _____

Durst der (nur Singular) _____

Fisch der, -e _____

Flasche die, -n _____

Fleisch das (nur Singular) _____

Gang der, -e
(im nächsten Gang) _____

Geburtstag der, -e _____

Gemüse das (nur Singular) _____

Geschenk das, -e _____

Geschichte die, -en _____

Gewürz das, -e _____

Gramm das, - _____

Hunger der (nur Singular) _____

Kartoffel die, -n _____

Käse der (nur Singular) _____

Kasten der, -
(ein Kasten Bier) _____

Kilo das, -s _____

Kneipe die, -n _____

Kollege der, -n _____

Koffer der, - _____

Kontakt der, -e _____

Kugelschreiber der, - _____

Liter der, - _____

Mehl das (nur Singular) _____

Messer das, -e _____

Mutter die, ⸚ _____

Ober der, - _____

Obst das (nur Singular) _____

Öl das, -e _____

Orange die, -en _____

Ort der, -e _____

Packung die, -en
(eine Packung Erdnüsse) _____

Paket das, -e
(ein Paket Waschmittel) _____

Partner der, - _____

Pfeffer der (nur Singular) _____

Pfund das, -(e)
(ein halbes Pfund Butter) _____

Problem das, -e _____

(Milch-)Produkt das, -e _____

Projekt das, -e _____

Putzmittel das, - _____

Rat der, Ratschläge _____

Reis der (nur Singular) _____

Salz das (nur Singular) _____

Schachtel die, -n _____

Schinken der
(nur Singular) _____

Sohn der, ⸚e _____

Supermarkt der, ⸚e _____

Süßigkeit die, -en _____

Taxi das, -s _____

Ticket das, -s _____

Tipp der, -s _____

Tochter die, ⸚ _____

Tomate die, -n _____

Tüte die, -n _____

Vater der, ⸚ _____

Verein der, -e _____

Verzeihung die
(nur Singular) _____

Volkshochschule die, -n _____

Waschmittel das, - _____

Wunsch der, ⸚e _____

Wurst die, ⸚e _____

Verben

backen	_____	lachen	_____
beginnen	_____	mache … auf	_____
beobachten	_____	(→ aufmachen)	
bitten + um AKK	_____	mitbringen	_____
bleiben	_____	probieren	_____
denken	_____	schenken	_____
einkaufen	_____	schreien	_____
erzählen	_____	verstehen	_____
gefallen	_____	warten	_____
hört … auf (→ aufhören)	_____	weinen	_____
lächeln	_____	wünschen	_____

Adjektive

besser	_____	nervös	_____
frisch	_____	rot	_____
fröhlich	_____	sauer	_____
gemütlich	_____	(Die Leute sind sauer.)	
halb	_____	spät	_____
lang	_____	traurig	_____
leer	_____	wichtig	_____
leise	_____	zufrieden	_____
kurz	_____		

andere Wörter / Ausdrücke

am Ende	_____	nichts	_____
außerdem	_____	niemand	_____
bald	_____	Platz nehmen	_____
endlich	_____	sofort	_____
herein	_____	sogar	_____
in Ordnung	_____	Sonst noch etwas?	_____
letzt-	_____	vor	_____
manchmal	_____	(vor dem Essen)	
nach	_____	zurück	_____
(nach dem Volleyball)		zurzeit	_____
nicht mehr	_____		

Lösungsschlüssel

Lektion 1

1 Guten Morgen! / Guten Tag!

2 Hallo, Nikos. / Hallo, Lisa! Hallo, Peter! / Wie geht's? / Danke, gut.
Entschuldigung, sind Sie Frau Yoshimoto? / Ja. / Guten Tag, mein Name ist Bauer. / Ah, Frau Bauer! Guten Tag. / Wie geht es Ihnen? / Gut, danke.

3 Guten Morgen. / Guten Tag. / Wie geht es Ihnen? / Danke, gut. Und Ihnen? / Auch gut, danke.

4 Doris, Meier, Julia

5 2 C per Sie 3 B per du

6 2 du 3 Sie 4 du 5 Sie 6 Sie 7 Sie 8 du

7 … Weininger. … Sie? / … Spät. / … Daniel. … du? / Eva.

8 1 Wie heißen Sie? 3 Wie heißt du? 4 Ich heiße Nikos.
5 Wie ist Ihr Name? 6 Ich heiße Werner Raab. 7 Wie geht es Ihnen?

9 Österreich, Frankreich, China, England, Argentinien, Deutschland, Brasilien, Australien, Türkei, Schweiz, Kanada, Japan, Griechenland

10 Kommst du aus Österreich? / Nein, ich komme aus der Schweiz. Und du? Woher kommst du? / Ich komme aus Kanada, aus Toronto.
Woher kommen Sie? / Ich komme aus Frankreich. Und Sie? Kommen Sie aus Deutschland? / Ja, aus Köln.

11 Fahrer – Fahrerin / Pilot – Pilotin / Friseur – Friseurin / Ingenieur – Ingenieurin / Polizist – Polizistin / Flugbegleiter – Flugbegleiterin / Verkäufer – Verkäuferin

12 Frau …: Jablońska, Kahlo
Herr …: Márquez, Palikaris

13 Siehe Kasten Übung 12

14 Sind, kommst, Kommen, sind, Bist

15 2 Kommst du aus …? 3 Wie heißen Sie? 4 Bist du …?
5 Woher kommst du? 6 Was sind Sie von Beruf? 7 Ist Ihr Name …? / Sind Sie Herr …? 8 Geht es Ihnen gut?

16 2↘ 3↗ 4↘ 5↘ 6↗ 7↘ 8↗ 9↘ 10↗ 11↘ 12↗

17 Vorwahl von Deutschland: 00 49

18 fünf, elf, dreiundvierzig, zwanzig, sechzehn, sechs, neunzehn, achtzig: Flugzeug

19 1 3, 2 20, 3 13, 4 40, 5 50, 6 16, 7 70, 8 80, 9 19, 10 34, 11 76, 12 98

20 7, 23, 19, 49, 34, 42

21 3, 7, 20, 26, 29, 42, Zusatzzahl: 32, Superzahl: 1; 2 richtige Zahlen

22 1 a) 2 b) 3 b) 4 a) 5 a)

25 Hallo, danke, das, Name, macht, die, ist, woher, kommen, was, sind, Ihnen, hier, ich, Fahrer, Lufthansa, Entschuldigung, richtig, Flugsteig, Morgen, jetzt, alle

28 *Brasilien* – Portugiesisch; *China* – Chinesisch; *Deutschland* – Deutsch; *Frankreich* – Französisch, *Griechenland* – Griechisch; *Italien* – Italienisch; *Kanada* – Englisch und Französisch; *Marokko* – Arabisch und Französisch; *Österreich* – Deutsch; *Portugal* – Portugiesisch, *Polen* – Polnisch; *Schweiz* – Deutsch, Französisch und Italienisch; *Spanien* – Spanisch; *Türkei* – Türkisch

29 (Sauer)Kraut F, Schnitzel B, Zickzack D, Walzer A, Bier E

30 *die:* Nummer, Information, Frage, Übung; *der:* Flughafen, Name, Beruf, Pass; *das:* Rätsel, Wort, Taxi, Land

31 2 Nach 3 Nach 4 Aus 5 nach 6 Aus

32 Woher, Was, Wohin, Wo, Wie

Test: 1 c) 2 a) 3 b) 4 b) 5 b) 6 a) 7 c) 8 a) 9 a) 10 b) 11 c) 12 b) 13 c) 14 a) 15 b)

Lektion 2

1 *17* siebzehn, *60* sechzig, *66* sechsundsechzig, *70* siebzig, *98* achtundneunzig, *277* zweihundertsiebenundsiebzig, *391* dreihunderteinundneunzig, *409* vierhundertneun, *615* sechshundertfünfzehn, *856* achthundertsechsundfünfzig

2

3 2 638 + 104 = 742 3 729 + 202 = 931 4 856 – 640 = 216
5 119 + 440 = 559 6 999 – 373 = 626 7 364 + 511 = 875
8 483 – 173 = 310

4 FAZ die Frankfurter Allgemeine Zeitung; ICE der Inter City Express; KFZ das Kraftfahrzeug; ZDF das Zweite Deutsche Fernsehen; DGB der Deutsche Gewerkschaftsbund; VHS die Volkshochschule; EU die Europäische Union; VW der Volkswagen

6 1 A wie Anton, D wie Dora, R wie Richard, E wie Emil, S wie Siegfried, S wie Siegfried, E wie Emil
2 B wie Berta, E wie Emil, C wie Cäsar, K wie Kaufmann, M wie Martha, A wie Anton, N wie Nordpol, N wie Nordpol
3 F wie Friedrich, R wie Richard, Ö wie Ökonom, H wie Heinrich, L wie Ludwig, I wie Ida, C wie Cäsar, H wie Heinrich
4 L wie Ludwig, A wie Anton, N wie Nordpol, D wie Dora
6 T wie Theodor, A wie Anton, N wie Nordpol, G wie Gustav, R wie Richard, A wie Anton, M wie Martha
7 T wie Theodor, E wie Emil, L wie Ludwig, E wie Emil, F wie Friedrich, O wie Otto, N wie Nordpol
8 Z wie Zeppelin, A wie Anton, H wie Heinrich, L wie Ludwig

7 2 Wie heißen Sie? 3 Wie ist Ihre Telefonnummer? 4 Wie ist deine Adresse? 5 Bitte noch einmal. 6 Bitte langsam.
7 Wie bitte? 8 Buchstabieren Sie bitte. 9 Barbosa – wie schreibt man das?

8 1, 2, 3, 7, 10, 5, 9, 8

9 3 neunzehnhundertneunundneunzig 4 zweitausendvier
5 siebzehnhundertneunundachtzig 6 neunzehnhunderteinundneunzig 7 zweitausendfünf 8 neunzehnhundertachtundsechzig

10 **haben:** ich habe, du hast, sie/er/es hat, wir haben, ihr habt, sie/Sie haben; **sein:** ich bin, du bist, sie/er/es ist, wir sind, ihr seid, sie/Sie sind

11 1 hat, ist, ist, ist, hat 2 sind, haben, haben 3 ist, hat, ist

12 1 Antonio und Ricarda sind … 2 Anja ist …, Ricarda ist …, sind … 3 Anja ist …, Ricarda ist …, Antonio und Oliver sind … 4 Antonio und Oliver sind …, Anja und Ricarda sind … 5 Anja und Antonio haben …, Oliver und

Ricarda haben … **6** Anja und Oliver haben …, Antonio und Ricarda haben …

13 **1** Seid **2** Antonio: ist, sind, haben **3** Ricarda: ist, bin, seid **4** Anja: bin, ist **5** Antonio: Bist, Hast **6** Oliver: bin, habe, hat, Habt **7** Ricarda: ist, hat, bin, habe

15 ich – e, du – st, sie/er/es – t, wir – en, ihr – t, sie – en, Sie – en

16 Kommen, Sind / wohne / wohnen, ist, arbeitet, Kommen / Kommt / kommen, sind / Bist / bin / Arbeitest / arbeite / wohnen / sind, wohnen

17 *Beispiele:* Ich trinke ein Bier. / Ich arbeite bei VW. / Ich bin 19 Jahre alt. / Ich nehme Kaffee. / Ich studiere Medizin. / Wir kommen aus Spanien. / Wir lernen Deutsch. / Wir wohnen in Dortmund. / Ihr arbeitet bei VW. / Ihr trinkt Bier. / Ihr studiert Medizin. / Eva/Er trinkt ein Bier. / Eva/Er arbeitet bei VW. / Eva/Er studiert Medizin.

18 **2** keine **3** eine, keine **4** –, keine **5** –, keine **6** ein, kein **7** eine, keine **8** ein, kein

19 **2** eine, die **3** eine, die **4** ein, der **5** die

20 **Liste:** eine, keine / **Rap:** der, kein / **Lied:** das, ein / **Formulare:** die, keine

21 **1** ein Bild **2** der Dialog **3** ein Fahrer **4** die Kursliste **5** das Formular **6** die Adresse **7** das Foto **8** ein Telefon

22 **4** in Sachsen **5** in Schwaben **2** in Norddeutschland **3** in Österreich

23 **3** Österreich: du **2** Schweiz: Sie **4** Schwaben: Sie **5** Sachsen: du

24 Tschüs! / Auf Wiedersehen!; (Danke,) gut.; Hallo! / Guten Tag!

25 **1** Tee **2** Käsebrot **3** Rotwein **4** Mineralwasser **5** Cola **6** Kuchen **7** Würstchen **8** Gulaschsuppe **9** Salat **10** Kaffee **11** Schinkenbrot **12** Hähnchen **13** Bier **14** Eier **15** Orangensaft

26 **eine:** Cola
einen: Kaffee, Kuchen, Orangensaft, Rotwein, Salat, Tee
ein: Käsebrot, Mineralwasser, Schinkenbrot, Würstchen, Hähnchen

29 **a** Datum, dann, Paar, Name, Stadt **e** geht, Student, Tee, den, denn, etwas, ledig **i** Spiel, Bild, bitte, Lied, ist, Tipp, viel **o** Brot, kommen, von, doch, Cola, wohnt, Zoo **u** Buchstabe, gut, Gruppe, Stuhl, Beruf, du, hundert

30 lang, lang, kurz, kurz

31 Staatsangehörigkeit, Wasser, Fahrer; steht, Sessel, Idee, Lehrer, kennen, zehn; stimmt, hier, richtig, Bier, sieben; oh, Boot, Lotto, Wohnung, kommen; Suppe, Stuhl, Nummer, Uhr, null

Test: **1** c) **2** a) **3** b) **4** a) **5** c) **6** b) **7** c) **8** a) **9** b) **10** c) **11** a) **12** b) **13** a) **14** c) **15** b)

Lektion 3

1 Schweiz: Franken, USA: Dollar, Indien: Rupien, Tunesien: Dinar, Ägypten: Pfund, Deutschland: Euro, Norwegen: Kronen, Südafrika: Rand, Japan: Yen, Chile: Pesos

2 **1** zweitausendsechshundertfünfzig, **3** fünftausenddreihundertzwölf, **4** achttausendachthundert, **5** neuntausendzweihundertzwanzig, **6** vierzigtausend

3 **1** 89 000 **2** 300 **3** 7 790 569 **4** 630 800 **5** 25 000

5 der Schreibtisch; das Hochbett; der Kleiderschrank; der Gartenstuhl; der Küchenschrank; das Einbauregal

6 ganz hübsch, günstig, interessant, langweilig, modern, nicht billig, nicht schlecht, nicht so schön, originell, praktisch, super, unbequem, unpraktisch, zu teuer

7 unbequem, teuer / nicht billig, hässlich / nicht so schön, interessant, unpraktisch, nicht so schön, langweilig (andere Lösungen möglich)

8 **2** Hübsch? Das finde ich nicht so schön. **3** Praktisch? Das … unpraktisch. **4** Bequem? Den … unbequem. **5** Günstig? Die … teuer. **6** Interessant? Den … langweilig. **7** Teuer? Die … günstig. **8** Nicht so schön? Den … super. **9** Langweilig? Die … interessant. **10** Super? Die … langweilig. *Nominativ:* die …, der …, das …, die … / *Akkusativ:* die …, den …, das …, die …

9 **1** *1* Wo sind denn die Betten? / *2* Warum fragst du nicht die Verkäuferin? / *3* Entschuldigung. Wir suchen ein Hochbett. / *4* Betten finden Sie im ersten Stock.
2 *1* Wie findest du die Schreibtischlampe? Ist die nicht schick? / *2* Die ist zu teuer. Die kostet ja fast 150 Euro! / *3* Entschuldigung. Haben Sie auch einfache Schreibtischlampen? / *4* Nein, tut mir Leid. Wir haben nur Markenfabrikate.
3 *1* Guten Tag. Wo sind denn hier Gartenmöbel, bitte? *2* Die sind gleich hier vorne. *3* Wir suchen ein paar Stühle. Haben Sie auch Sonderangebote? / *4* Ja, natürlich.
4 *1* Wie findest du die Stühle hier? Sind die nicht praktisch? / *2* Die finde ich nicht schlecht … Nein! Die sind unbequem. / *3* Wir brauchen aber neue Gartenstühle.

10 **A:** Wir haben nur Markenfabrikate. Wir suchen ein paar Stühle. (Wir brauchen aber neue Gartenstühle.)
B: Die finde ich nicht schlecht.
C: Wie findest du die Schreibtischlampe? Wie findest du die Stühle (hier)?
D: Haben Sie auch einfache Schreibtischlampen? Haben Sie auch Sonderangebote?

11 **2** den, keinen **3** die, keine **4** den, keinen **5** das, kein **6** den, keinen **7** den, keinen

12 **1** keine **2** das **3** der, keinen **4** die, keine **5** der, keinen **6** der, keinen

13 **2** Die **3** Das **4** Die **5** Der **6** Das **7** Die **8** Den

14 **5** eine Bügelmaschine **6** keinen Herd **7** keinen Kühlschrank **8** eine Mikrowelle **9** eine Tiefkühltruhe **10** kein Bücherregal **11** eine Stereoanlage **12** keinen CD-Player **13** kein Telefon **14** keinen Videorekorder **15** keinen Fotoapparat **16** keinen Fernseher **17** ein Faxgerät **18** ein Handy **19** einen Computer **20** eine Videokamera **21** ein Fahrrad **22** ein Auto **23** keinen Führerschein

15 **1** … keine **2** eins, keins **3** einen, keinen **4** eins, keins **5** einen, keinen **6** eine, keine

17 4. Stock: Betten, Bilder, Sessel, Sofas, Stehlampen, Stühle, Teppiche
3. Stock: Computer, Fernseher, Fotoapparate, Handys, Stereoanlagen, Videokameras
2. Stock: Fahrräder, Jogginganzüge
1. Stock: Mäntel
Erdgeschoss: Kulis, Wörterbücher, Zeitungen
Untergeschoss: Kühlschränke, Spülmaschinen, Staubsauger
Teppich*e*, Bett*en*, Stehlamp*en*, Bild*er*, Schal*s*, Staubsauger

18 -*e/¨e*: der Kühlschrank, der Stuhl, der Teppich, der Topf, der Jogginganzug / -(e)n: die Spülmaschine, die Stehlampe, die Stereoanlage, die Zeitung / -*er/¨er*: das Wörterbuch / -*s*: das Handy, der Kuli, das Sofa, die Videokamera / -/¨: der Mantel, der Sessel, der Staubsauger

19 **2** Pullover, ersten Stock **3** Tische, vierten Stock **4** Tennishosen, zweiten Stock **5** Fahrräder, zweiten Stock **6** Fernseher, dritten Stock **7** Töpfe, Untergeschoss **8** Cremes, Erdgeschoss

21 *a:* Glas, Mantel, Schrank / *ä:* Gläser, Mäntel, Schränke / *o:* Ton, Topf, Wort, froh, schon / *ö:* Töne, Töpfe, Wörter, fröhlich, schön

22 2 a), c) 3 a), b) 4 a), b) 5 a), b)

24 Fahrrad, Fahrräder; männlich, Mann; ganz, ergänzen; nämlich, Name; Tag, täglich

25 Töpfe, öffnen, Töne, Französisch, schön, Möbel, zwölf, höflich

28 Waschmaschine 1090, Computer 8300/8315, Fernseher 1700, Einbauküche 1030, Kühlschrank 1080, Stehlampe 1290, Sessel 1200, Sofa 1200, Tisch 1220

30 f.: für; gt. Zust.: guter Zustand; kl.: klein; m.: mit; NP: Neupreis; Proz.: Prozent; u.: und; VB: Verhandlungsbasis; WaMa: Waschmaschine

32 3 B 4 A 5 A 6 A 7 B 8 A 9 B 10 A 11 B 12 A

33 3 sagt 4 Sprechen 5 sagen 6 sprichst 7 sagen 8 Sprechen 9 spreche 10 sagen

34 1 sprechen 3 sagt 4 sprechen 5 finde 6 finde 7 sagt 8 sage 9 finde 10 sagt 11 sprichst 12 findest 13 sagt 14 sagt

Test: 1 c) 2 a) 3 a) 4 b) 5 c) 6 b) 7 a) 8 c) 9 b) 10 c) 11 a) 12 b) 13 a) 14 c) 15 b)

Lektion 4

3 2 dir 3 ihm 4 ihr 5 ihm 6 uns 7 euch 8 ihnen
ich – mir, er – ihm, sie – ihr, es – ihm, wir – uns, ihr – euch, sie – ihnen, Sie – Ihnen

4 Du schenkst ihr … / Sie schenkt ihm … / Er schenkt euch … / Ihr schenkt ihnen … / Sie schenken uns … / Ich schenke Ihnen gern …

5 2 Daniel schenkt ihr einen Volleyball. 3 Ich gebe euch einen. 4 Anna kauft ihm ein Überraschungsei. 5 Gibst du uns dein Auto? 6 Ich schenke Ihnen gern ein paar Pralinen.

6 2 ihm 3 dir 4 ihr 5 euch 6 ihnen

7 2 ihr 3 mir 4 ihr 5 ihm 6 ihnen 7 ihr 8 ihnen

8 … und er hilft ihr, / wir helfen euch und ihr helft uns, / sie helfen Ihnen / und Sie helfen ihnen.
… Du gibst – sie nimmt, du nimmst – sie gibt: ihr tauscht. / Sie gibt – er nimmt, sie nimmt – er gibt: sie tauschen. / Wir geben – ihr nehmt, wir nehmen – ihr gebt: wir tauschen. / Ihr gebt – sie nehmen, ihr nehmt – sie geben: ihr tauscht. / Und Sie? Geben Sie? …

9 1 nimmst 2 Sprechen, spreche 3 hilft, hilft 4 essen 5 Gibst 6 nehmt 7 spricht 8 Hilfst

10 du nimmst, sie/er/es nimmt, wir nehmen, ihr nehmt, sie/Sie nehmen / ich spreche, du sprichst, sie/er/es spricht, wir sprechen, sie/Sie sprechen / ich helfe, sie/er/es hilft, wir helfen, ihr helft, sie/Sie helfen / ich gebe, du gibst, sie/er/es gibt, ihr gebt, sie/Sie geben / ich esse, du isst, wir essen, ihr esst

11 2 ihnen 3 Er, er, ihnen 4 uns 5 Sie, ihnen 6 Sie, ihm 7 er, Er 8 ihr 9 ihm 10 Sie 11 Sie, ihnen 12 Ich, du

12 2 Sie 3 du 4 mir 5 ich 6 dir 7 Wir 8 Sie 9 mir 10 Ich 11 dir 12 Sie 13 ihr 14 ihm 15 Sie 16 Sie

13 Öl, 2 Fl. Bier, Pfeffer, Waschpulver, Pizza, 1 l Milch, Mehl

14 1 1,10 € 2 das 3-Kilo-Paket für 4,65 € 3 im Kasten 4 … und bekommt etwas mehr Salami 5 eine Flasche Milch

15 6,20 € = sechs Euro zwanzig; 2,60 € = zwei Euro sechzig; 3 l = drei Liter; ½ kg / 500 g = ein halbes Kilo; ½ l / 0,5 l = ein halber Liter; 5 kg = fünf Kilo; 250 g = ein halbes Pfund; ½ kg / 500 g = ein Pfund; 6,20 € = sechs zwanzig;

0,79 € = neunundsiebzig Cent; 250 g = zweihundertfünfzig Gramm; 620 € = sechshundertzwanzig Euro

16 1 Packung 2 Tüte 3 Flasche 4 Liter 5 Dose 6 Paket 7 Schachtel 8 Kilo 9 Gramm

17 *Backwaren:* Brot, Kuchen, Mehl, Zucker; *Fleischwaren:* Salami, Schinken, Würstchen; *Gemüse:* Kartoffeln, Salat, Tomaten; *Getränke:* Bier, Mineralwasser, Wein; *Gewürze:* Curry, Pfeffer, Salz; *Haushaltswaren:* Klopapier, Putzmittel, Waschmittel; *Käse:* Camembert, Gouda; *Milchprodukte:* Butter, Joghurt, Milch, (Eis); *Obst:* Bananen, Orangen; *Spezialitäten:* Jasmintee; *Süßwaren:* Bonbons, Kaugummis, Kuchen, Schokolade; *Tiefkühlkost:* Eis, Pizza; *andere Lebensmittel:* Fisch, Reis

18 4 u 5 ü 6 ü 7 ü 8 u 9 u 10 ü 11 u 12 ü 13 u 14 ü 15 ü 16 ü 17 u 18 u 19 u 20 ü 21 u 22 ü 23 ü 24 u

19 süß, Stück, fünf, üben, Tür, über, flüstern, Gemüse, Würstchen, Bücher, Küche, Tüte, für, wünschen, Stühle, gemütlich, günstig, natürlich

23 Guten Tag! ↘ / Guten Tag! ↘ Sie wünschen? ↗ Ich hätte gern ein Viertel Mailänder Salami. ↘ / Darf's ein bisschen mehr sein? ↗ 160 Gramm? ↗ / Nein, das ist ein bisschen viel. ↘ / Haben Sie noch einen Wunsch? ↗ / Ja, ein Pfund Tomaten, bitte. ↘ / Darf's noch etwas sein? ↗ / Haben Sie Jasmintee? ↗ / Nein, tut mir Leid. ↘ Den bekommen wir erst morgen wieder. ↘ Möchten Sie vielleicht einen anderen Tee? ↗ / Nein, danke. ↘ Was kostet denn das Bauernbrot da? ↘ / 3,80 das Kilo. ↘ / Ja, gut. ↘ Aber bitte nur ein Pfund. ↘ / Sonst noch etwas? ↗ / Nein, danke. ↘ / Das wär's. ↘ / Das macht dann … 5 Euro 80. ↘ / Hier bitte, 20 Euro. ↘ / Und 14,20 zurück. ↘ Möchten Sie vielleicht eine Tüte. ↗ / Ja, bitte. ↘ … Danke. ↘ … Wiedersehen! ↘

25 1 Tomaten: ein Gemüse, kein Getränk 2 Putzmittel: eine Haushaltsware, keine Fleischware 3 Luftballon: ein Spielzeug, kein Gewürz 4 Kartoffeln: ein Gemüse, kein Obst 5 Salami: eine Wurstware, kein Milchprodukt 6 Klopapier: eine Haushaltsware, keine Süßware 7 Orangen: ein Obst, kein Gemüse

26 1 das Fleisch + die Waren 2 die Vanille + das Eis 3 das Spielzeug + das Auto 4 die Luft + der Ballon 5 das Klo + das Papier 6 der Toast + das Brot 7 die Butter + der Käse 8 der Apfel + der Kuchen 9 die Orange(n) + der Saft 10 die Praline(n) + die Schachtel 11 das Lamm + das Fleisch

27 die Bücher, das Regal, das Bücherregal / das Telefon, die Nummer, die Telefonnummer / die Kartoffeln, der Salat, der Kartoffelsalat / der Apfel, der Saft, der Apfelsaft / das Bier, die Flasche, die Bierflasche

28 2 die Tomaten, die Soße 3 der Wein, das Glas 4 das Wort, der Akzent 5 das Foto, der Apparat 6 die Küche, der Tisch 7 die Bücher, das Regal 8 die Schokolade, der Kuchen

29 Typ „machen": *du:* trink, bleib, kauf, frag, bestell, *Sie:* trinken Sie, bleiben Sie, kaufen Sie, fragen Sie, bestellen Sie, *ihr:* macht, trinkt, bleibt, kauft, fragt, bestellt; **Typ „nehmen":** *du:* iss, gib, *Sie:* nehmen Sie, essen Sie, geben Sie, *ihr:* esst, gebt; **sein:** *du:* sei, *ihr:* seid

30 A 2 Nehmen Sie doch Platz! 3 Nehmen Sie doch noch ein Stück Kuchen (und) trinken Sie (doch) noch eine Tasse Kaffee! 4 Bleiben Sie doch noch zum Abendessen! 5 Nehmen Sie doch lieber ein Taxi! 6 Kommen Sie bald wieder zu Besuch! / Kommen Sie gut nach Hause!
B 2 Nehmt 3 Bleibt 4 Esst 5 Kommt
C 1 nimm 2 Bleib 3 Trink 4 Nimm / Iss 5 Komm 6 Nimm 7 Komm

31   **2** schau   **3** Frag   **4** trink   **5** Mach, iss   **6** Schenk   **7** geh

32   **1** Kommen Sie zur Party? ↗   **2** Nehmen Sie eine Gulasch-suppe! ↘   **3** Trinken Sie Buttermilch? ↗   **4** Kaufen Sie „das inserat"! ↘   **5** Spielen Sie Lotto! ↘   **6** Machen Sie einen Deutschkurs? ↗   **7** Bezahlen Sie mit Scheck! ↘   **8** Fliegen Sie nach Australien? ↗

Test: **1** a)   **2** c)   **3** c)   **4** b)   **5** a)   **6** b)   **7** a)   **8** c)   **9** b)   **10** c)   **11** a)   **12** b)   **13** a)   **14** c)   **15** b)

Grammatik

Seite 131–143

Übersicht

I Der Laut

§ 1 Das Alphabet

Aa [aː] Bb [beː] Cc [tseː] Dd [deː] Ee [eː] Ff [ɛf] Gg [geː]
Hh [haː] Ii [iː] Jj [jɔt] Kk [kaː] Ll [ɛl] Mm [ɛm] Nn [ɛn]
Oo [oː] Pp [peː] Qq [kuː] Rr [ɛr] Ss [ɛs] Tt [teː] Uu [uː]
Vv [fao] Ww [veː] Xx [iks] Yy [ypsilɔn] Zz [tset]

Umlaute: Ää [ɛː] Öö [øː] Üü [yː]

Diphthonge: Ei/ei [ai] Au/au [ao] Eu/eu/Äu/äu [oi]

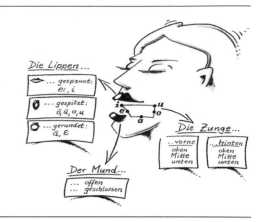

[eː] bedeutet lange sprechen!

§ 2 Die Vokale, Umlaute und Diphthonge

schreiben:	sprechen:	Beispiel:
a	[a]	dann, Stadt
a, aa, ah	[aː]	Name, Paar, Fahrer
e	[ɛ]	kennen, Adresse
	[ə]	kennen, Adresse
e, ee, eh	[eː]	den, Tee, nehmen
i	[ɪ]	Bild, ist, bitte
i, ie, ich	[iː]	gibt, Spiel, ihm
ie	[jə]	Familie, italien
o	[ɔ]	doch, von, kommen
o, oo, oh	[oː]	Brot, Zoo, wohnen
u	[ʊ]	Gruppe, hundert
u, uh	[uː]	gut, Stuhl
y	[y]	Gymnastik, System

Umlaute		
ä	[ɛ]	Gäste, Länder
ä, äh	[ɛː]	spät, wählen
ö	[œ]	Töpfe, können
ö, öh	[ø]	schön, fröhlich
ü	[y]	Stück, Erdnüsse
ü, üh	[yː]	üben, Stühle

Diphthonge		
ei, ai	[ai]	Weißwein, Mai
eu, äu	[ɔy]	teuer, Häuser
au	[ao]	Kaufhaus, laut

§ 3 Die Konsonanten und Konsonantenverbindungen

Konsonanten		
b*, bb	[b]	Bier, Hobby
d*	[d]	denn, einladen
f, ff	[f]	Freundin, Koffer
g*	[g]	Gruppe, Frage
h	[h]	Haushalt, hallo
j	[j]	Jahr, jetzt
k, ck	[k]	Küche, Zucker
l. ll	[l]	Lampe, alle
m, mm	[m]	mehr, Kaugummi
n, nn	[n]	neun, kennen
p, pp	[p]	Papiere, Suppe
r, rr, rh	[r]	Büro, Gitarre, Rhythmus
s, ss	[s]	Eis, Adresse
	[z]	Sofa, Gläser
t, tt, th	[t]	Titel, bitte, Methode
v	[f]	verheiratet, Dativ
	[v]	Vera, Verb, Interview
w	[v]	Wasser, Gewürze
x	[ks]	Infobox, Text
z	[ts]	Zettel, zwanzig

*am Wortende / am Silbenende		
-b	[p]	Urlaub, Schreibtisch
-d, -dt	[t]	Fahrrad, Stadt
-g	[k]	Dialog, Tag
-ig	[ç]	günstig, ledig
-er	[ɐ]	Mutter, vergleichen

Konsonanten in Wörtern aus anderen Sprachen		
c	[s]	City
	[k]	Computer, Couch
ch	[ʃ]	Chance, Chef
j	[dʒ]	Jeans, Job
ph	[f]	Alphabet, Strophe

Konsonantenverbindungen		
ch	[ç]	nicht, rechts, gleich, Bücher
	[x]	acht, noch, Besuch, auch
	[k]	Chaos, sechs
ng	[ŋ]	langsam, Anfang
nk	[ŋk]	danke, Schrank
qu	[kv]	Qualität
sch	[ʃ]	Tisch, schön
-t- vor -ion	[ts]	Lektion, Situation

am Wortanfang / am Silbenanfang		
st	[ʃt]	stehen, verstehen
sp	[ʃp]	sprechen, versprechen

§ 4 Der Wortakzent

1. Der Akzent im Wort

Der Wortakzent ist in deutschen Wörtern immer auf der Stammsilbe .

gehen, kommen, Deutschbuch, Küche

Der Wortakzent in nicht-deutschen Wörtern ist auf der zweitletzten oder auf der letzten Silbe.

Computer, telefonieren, Polizei, Dialog, Hotel

2. Der Wortakzent: kurz oder lang?

Akzentvokal	Regel
langer Vokal [a]	1. **Vokal + h** *sehr, zehn, Jahre, Zahl* 2. **Vokal + Vokal** *Boot, Tee, Lied, Eis* 3. **Wortstamm-Vokal + 1 Konsonant** *gut, Weg, geben, haben*
kurzer Vokal [a]	1. **Vokal + Doppelkonsonant** *kommen, Wasser, Gruppe, bitte* 2. **Vokal + 2 oder 3 Konsonanten** *ich, ist, richtig, ganz, kurz*

II Das Wort

§ 5 Der Infinitiv = die Grundform des Verbs

essen, heißen, kommen, gehen

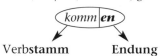

komm|en

Verbstamm   Endung

> Im Wörterbuch stehen die Verben immer im Infinitiv.

§ 6 Konjugation im Präsens

komm|en

Singular	Verbstamm + Endung	
1. Person: **ich**	komm|e	
2. Person: **du**	komm-st	
3. Person: **sie / er / es**	komm-t	
Plural		
1. Person: **wir**	komm-en	
2. Person: **ihr**	komm-t	
3. Person: **sie / Sie**	komm-en	

Hallo! Ich heiße Yoko Yoshimoto.

§ 7 Unregelmäßige Verben

1. sein / haben

	sein	haben
ich	bin	habe
du	bist	hast
sie / er / es	ist	hat
wir	sind	haben
ihr	seid	habt
sie / Sie	sind	haben

2. Verben mit Vokalwechsel in der 2. und 3. Person Singular

Vokalwechsel e → i, e → ie

	2. Person Singular	3. Person Singular
sprechen	**du** sprichst	**sie / er / es** spricht
nehmen	du nimmst	sie / er / es nimmt
sehen	du siehst	sie / er / es sieht
lesen	du liest	sie / er / es liest
geben	du gibst	sie / er / es gibt
essen	du isst	sie / er / es isst
helfen	du hilfst	sie / er / es hilft

§ 8 Imperativ

1. Der Gebrauch des Imperativs

Setzen Sie sich doch, bitte!

Die Bitte:	**Gib** mir das Wörterbuch, *bitte*!
Der Tipp:	**Kauf** ihnen *doch* ein paar Süßigkeiten!
Der Befehl:	**Gib ihr** *sofort* das Feuerzeug!
Das Verbot:	**Spiel** *nicht* mit dem Feuer!

2. Die Form des Imperativs

Infinitiv	du		ihr		Sie	
kommen	Komm	-!	Komm	-t!	Komm	-en Sie!
kaufen	Kauf	-!	Kauf	-t!	Kauf	-en Sie!
▶ geben	Gib	-!	Geb	-t!	Geb	-en Sie!

3. Position im Satz

	Position 1	Position 2
Per du:	*Komm*	*doch mal zu einem Kaffee!*
Per Sie:	*Schauen*	*Sie doch mal bei den Milchprodukten!*

§ 9 Das Verb und seine Ergänzungen

Papa, (*kaufst*) *du* *uns* *ein Eis?*

Verb   + Ergänzungen

Verben mit einer Nominativ-Ergänzung (schwimmen, schlafen, arbeiten etc.)	Nominativ-Ergänzung: „Vera" — (arbeiten) *Vera* (arbeitet). NOM
Verben mit einer Nominativ- und einer Akkusativ-Ergänzung (trinken, essen, sehen, hören, lesen etc.)	NOM — (trinken) — Akkusativ-Ergänzung: „einen Tee" *Vera* (trinkt) *einen Tee*. NOM AKK
Verben mit einer Nominativ- und einer Dativ-Ergänzung (helfen, gefallen, danken etc.)	NOM — (helfen) — Dativ-Ergänzung: „mir" *Vera,* (hilfst) *du* *mir* bitte? NOM NOM DAT
Verben mit einer Nominativ- und einer Akkusativ- und einer Dativ-Ergänzung (schreiben, kaufen, geben, nehmen, zeigen etc.)	NOM — (schreiben) — AKK Dativ-Ergänzung: „ihrer Mutter" *Vera* (schreibt) *ihrer Mutter* *einen Brief*. NOM DAT AKK

§ 10 Das Nomen und der Artikel

Artikel	feminin ♀	maskulin ♂	neutrum
bestimmter Artikel	**die** Küche	**der** Herd	**das** Handy
unbestimmter Artikel	**eine** Küche	**ein** Herd	**ein** Handy
negativer Artikel	**keine** Küche	**kein** Herd	**kein** Handy

▶ Manchmal entspricht das Genus dem natürlichen Geschlecht:
die Frau, die Kellnerin, die Brasilianerin
der Mann, der Kellner, der Brasilianer

1. Genusregeln

feminine Nomen	maskuline Nomen	neutrale Nomen
Endung:	Endung:	**Ge-:** das Genus
-e die Lampe	**-ent** der Student	
-heit die Freiheit	**-eur** der Friseur	Endung:
-keit die Möglichkeit	**-ist** der Tourist	**-chen** das Mädchen
-ung die Wohnung		**-zeug** das Spielzeug
-ion die Million		
-ie die Energie		
Früchte:	**Alkohol:**	
die Banane	der Wein, der Wodka	
aber: der Apfel,	*aber:* das Bier	
der Pfirsich		

2. Nomen, die ohne Artikel benutzt werden

Namen:	Hallo, Nikos! Sind Sie Frau Bauer?
Berufe:	Er ist Fahrer von Beruf. Ich bin Lehrerin.
Unbestimmte Stoffangaben:	Nehmen Sie Zucker oder Milch? – Zucker, bitte.
Städte und Länder:	Kommen Sie aus Italien? – Ja, ich komme aus Rom. Ich fahre nach + (Land/Stadt ohne Artikel). Ich komme aus + (Land/Stadt ohne Artikel).
! Länder mit Artikel	Ich fahre in + (Artikel im Akkusativ + Land). Ich komme aus + (Artikel im Dativ + Land). *Ich fahre in die Türkei. Ich fahre in den Iran.* *Ich komme aus der Türkei. Ich komme aus dem Iran.*

die Schweiz	**der** Iran	**die** Vereinigten Staaten / die USA
die Türkei	der Irak	die Niederlande
die Volksrepublik	der Sudan	die Philippinen
China	...	...
...		

§11 Das Nomen im Singular und Plural

Der Artikel im Plural heißt „die".

die Lampe, -n = **die** Lampen
der Schrank, ̈e = **die** Schränke
das Bett, -en = **die** Betten

-n / -en	-e / ̈e	-s	-er / ̈er	- / ̈
die Lampe, -n	der Apparat, -e	das Foto, -s	das Ei, -er	der Computer, -
die Tabelle, -n	der Tisch, -e	das Büro, -s	das Bild, -er	der Fernseher, -
die Flasche, -n	der Teppich, -e	das Studio, -s	das Kind, -er	der Staubsauger, -
das Auge, -n	das Feuerzeug, -e	das Kino, -s	das Fahrrad, ̈er	der Fahrer, -
die Regel, -n	das Problem, -e	das Auto, -s	das Glas, ̈er	das Zimmer, -
die Nummer, -n	das Stück, -e	das Sofa, -s	das Haus, ̈er	das Theater, -
die Wohnung, -en	der Stuhl, ̈e	der Kaugummi, -s	das Land, ̈er	der Vater, ̈
die Lektion, -en	der Ton, ̈e	der Lolli, -s	das Buch, ̈er	der Sessel, -
die Süßigkeit, -en	die Hand, ̈e	der Lerntipp, -s	das Wort, ̈er	der Flughafen, ̈
…	…	der Luftballon, -s	der Mann, ̈er	…
		…	…	

▶ Aus **a, o, u** wird im Plural oft **ä, ö, ü**: der Mann, ̈er (= *die Männer*). Von einigen Nomen gibt es keine Singular-Form (zum Beispiel: *die Leute*) oder keine Plural-Form (zum Beispiel: *der Zucker, der Reis*).

§12 Die Kasus

1. Deklination des bestimmten Artikels

Singular	feminin	maskulin	neutrum
Nominativ	**die** Küche	**der** Herd	**das** Handy
Akkusativ	**die** Küche	**den** Herd	**das** Handy
Plural			
Nominativ	**die** Küchen/Herde/Handys		
Akkusativ	**die** Küchen/Herde/Handys		

Der Igel ist im Garten.
*Sofie findet **den** Igel.*

2. Deklination des unbestimmten Artikels

Singular	feminin	maskulin	neutrum
Nominativ	**eine** Küche	**ein** Herd	**ein** Handy
Akkusativ	**eine** Küche	**einen** Herd	**ein** Handy
Plural			
Nominativ	- Küchen	- Herde	- Handys
Akkusativ	- Küchen	- Herde	- Handys

▶ Der unbestimmte Artikel im Plural heißt Nullartikel.

3. Deklination des Negativartikels

Singular	feminin	maskulin	neutrum
Nominativ	**keine** Küche	**kein** Herd	**kein** Handy
Akkusativ	**keine** Küche	**keinen** Herd	**kein** Handy
Plural			
Nominativ	**keine** Küchen/Herde/Handys		
Akkusativ	**keine** Küchen/Herde/Handys		

Die Artikelwörter und Pronomen

§ 13 Die Personalpronomen

			Nominativ	Dativ
Singular	1. Person		ich	mir
	2. Person		du	dir
	3. Person		sie	ihr
			er	ihm
			es	ihm
Plural	1. Person		wir	uns
	2. Person		ihr	euch
	3. Person		sie	ihnen
Formelle Anrede			Sie	Ihnen

Hallo, Nikos! Wir sind hier!
Hallo, ihr beiden! Wie geht es euch?
Danke, uns geht es gut!

§ 14 Die Artikel als Pronomen

Die bestimmten und unbestimmten Pronomen ersetzen bekannte Namen oder Nomen. Man dekliniert sie genauso wie die Artikel. → **§ 10, 11**

Der Tisch ist doch toll.   _**Den**_ finde ich nicht so schön.
Wie findest du das Sofa?   _**Das**_ ist zu teuer.
Schau mal, die Stühle!   _Ja, **die** sind nicht schlecht._
Wir brauchen noch eine Stehlampe. _Wie findest du denn **die** da vorne?_

Wo finde ich Hefe?   _Tut mir Leid, wir haben **keine** mehr. Die kommt erst morgen wieder rein._
Hast du einen Computer?   _Ja, ich habe **einen**._
Hat Tom ein Fahrrad?   ❗ _Ich glaube, er hat **eins**._
                                    ❗ _Nein, er hat **keins**._

Die Adjektive

§15 Das Adjektiv im prädikativen Gebrauch

*Die Stühle sind **bequem**.*
*Den Teppich finde ich **langweilig**.*

Der Sessel ist bequem!

Das Gegenteil			
groß ≠ klein	interessant ≠ langweilig	teuer ≠ billig	bequem ≠ unbequem

Die Adverbien

§16 Ortsangaben

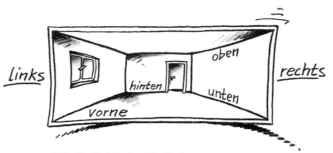

Wo finde ich den Kaffee?
*Im nächsten Gang **rechts oben**.*
*Und die Milch finden Sie **gleich hier vorne**.*

Die Präpositionen

§17 Die Präpositionen – Bedeutung

1. Präpositionen: Ort oder Richtung

Woher? ☐→	Wo? ☐●	Wohin? →☐
aus + Dativ:	bei + Dativ / in + Dativ	nach + Dativ / in + Akkusativ
Antonio kommt **aus** Italien.	Sie ist Flugbegleiterin **bei der** Lufthansa.	Sie fliegt oft **nach** Asien.
Herr Simsir kommt **aus der** Türkei.	Kawena wohnt **in der** Schleißheimer Straße.	Er fährt **in die** Schweiz.

2. Die Präpositionen für / von / mit

für	+ AKK	*Herzlichen Dank **für** die Blumen!*
von	+ DAT	*Sie sind **von** mir.*
mit	+ DAT	*Ich möchte **mit** dir ins Kino gehen.*

18

Die Präpositionen – Kurzformen

Präposition + Artikel	Kurzform
an + dem	am
an + das	ans
bei + dem	beim
in + dem	im

Präposition + Artikel	Kurzform
in + das	ins
von + dem	vom
zu + der	zur
zu + dem	zum

Die Konjunktionen

§ 19 **und / oder / aber**

+

Addition	Ich nehme ein Sandwich **und** ein Bier.
	Ich esse eine Pizza **und** Vera trinkt einen Apfelsaft.
Alternative	Nimmst du Kaffee **oder** Tee?
	Nimmst du Milch **oder** möchtest du lieber keine?
Kontrast	Ich trinke Kaffee, **aber** ohne Zucker.
	Ich habe Geburtstag, **aber** niemand kommt.

Die Zahlen

§ 20 **Die Kardinalzahlen**

0 bis 99

0	null	10	zehn	20	zwanzig	30	dreißig
1	eins	11	elf	21	einundzwanzig	31	einunddreißig
2	zwei	12	zwölf	22	zweiundzwanzig	32	zweiunddreißig
3	drei	13	dreizehn	23	dreiundzwanzig		...
4	vier	14	vierzehn	24	vierundzwanzig	40	vierzig
5	fünf	15	fünfzehn	25	fünfundzwanzig	50	fünfzig
6	sechs	16	sechzehn	26	sechsundzwanzig	60	sechzig
7	sieben	17	siebzehn	27	siebenundzwanzig	70	siebzig
8	acht	18	achtzehn	28	achtundzwanzig	80	achtzig
9	neun	19	neunzehn	29	neunundzwanzig	90	neunzig

ab 100

100	(ein)hundert	110	hundertzehn	1000	(ein)tausend
101	hunderteins		...	1001	tausend(und)eins
102	hundertzwei	200	zweihundert	1010	tausendzehn
103	hundertdrei	300	dreihundert	1120	tausendeinhundertzwanzig
104	hundertvier	400	vierhundert	1490	tausendvierhundertneunzig
105	hundertfünf	500	fünfhundert	5000	fünftausend
106	hundertsechs	600	sechshundert	10 000	zehntausend
107	hundertsieben	700	siebenhundert	100 000	hunderttausend
108	hundertacht	800	achthundert	1 000 000	eine Million
109	hundertneun	900	neunhundert	1 000 000 000	eine Milliarde

Die Zahlen von 13 bis 99 liest man von rechts nach links. *Beispiel:* 69 = **neun**und**sechzig**

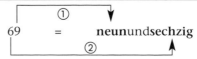

§ 21 **Die Zahlwörter**

Eine Banane, bitte.

ein / eine   *Eine Banane, bitte.*
viel   *1000 Euro sind viel Geld.*
wenig   *10 Euro sind wenig Geld.*

1. Jahreszahlen

Jahreszahlen bis 1099 und ab 2000 spricht man wie Kardinalzahlen.
813 → 8 hundert 13   2010 → 2 tausend 10

Jahreszahlen zwischen 1100 und 1999 spricht man nicht wie Kardinalzahlen, sondern man zählt die Hunderter.
1492 → 14 hundert 92   1999 → 19 hundert 99

Jahreszahlen stehen **ohne** die Präposition „**in**".
      Herr Haufiku ist 1969 geboren.
Aber: **Im** Jahr 1997 ist er nach Deutschland gekommen.

2. Zahlen mit Komma

Zahlen mit Komma spricht man so aus:
3,5   → drei Komma fünf
3,52 → drei Komma fünf zwei

3. Prozentzahlen

Prozentzahlen spricht man so aus:
35 %   → fünfunddreißig Prozent
3,5 %   → drei Komma fünf Prozent
3,52 % → drei Komma fünf zwei Prozent

4. Bruchzahlen

$^1/_2$ → die Hälfte
$^1/_3$, $^2/_3$ → ein Drittel, zwei Drittel
$^1/_4$, $^3/_4$ → ein Viertel, drei Viertel

5. Preise

Preise spricht man so aus:
   9,35 € → Neun Euro fünfunddreißig
825,99 € → Achthundertfünfundzwanzig
            Euro neunundneunzig

Die Wortbildung

§ 22 **Komposita**

Nomen + Nomen	Adjektiv + Nomen	Verb + Nomen
die Kleider (Pl.) + der Schrank → **der** Kleider**schrank**	hoch + das Bett → **das** Hoch**bett**	schreiben + der Tisch → **der** Schreib**tisch**
die Wolle + der Teppich → **der** Woll**teppich**	spät + die Vorstellung → **die** Spät**vorstellung**	stehen + die Lampe → **die** Steh**lampe**

Das Grundwort steht am Ende und bestimmt den Artikel.   *der Schrank – **der** Kleider**schrank***

Das Bestimmungswort (am Anfang) hat den Wortakzent.   *der Kl**ei**derschrank*

Vorsilben und Nachsilben

1. Die Wortbildung mit Nachsilben

-isch für Sprachen:
England – Englisch, Indonesien – Indonesisch, Japan – Japanisch, Portugal – Portugiesisch

-in für weibliche Berufe und Nationalitäten:
der Arzt – die Ärztin, der Pilot – die Pilotin, der Kunde – die Kundin ...
der Spanier – die Spanierin, der Japaner – die Japanerin, der Portugiese – die Portugiesin

-isch / -ig für Adjektive:
praktisch, richtig, günstig

2. Die Wortbildung mit Vorsilben

un- als Negation bei Adjektiven:

praktisch	–	**un**praktisch	≈ *nicht praktisch*
bequem	–	**un**bequem	≈ *nicht bequem*

Viele Adjektive negiert man mit **nicht**, z. B. *nicht teuer, nicht billig, nicht viel ...*

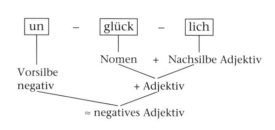

III Der Satz

Der Aussagesatz

Im Aussagesatz steht das Verb auf Position 2.

Position 1	Position 2	
Das Sofa	*finde*	*ich toll.* NOM
Ich NOM	*kaufe*	*doch kein Sofa für 999 Euro!*
Heute	*kaufe*	*ich euch kein Eis.* NOM
Andrea und Petra NOM	*arbeiten*	*auch bei TransFair.*

▶ Es gibt auch kurze Sätze ohne Subjekt und Verb: *Woher kommst du? – **Aus Australien.***
*Was möchten Sie trinken? – **Einen Apfelsaft, bitte.***

§ 25 Der Fragesatz

Es gibt **W-Fragen** und **Ja/Nein-Fragen:**

Woher kommst du?
– Aus ...

Kommst du aus Italien?
– Ja (, aus Rom).
Nein, aus Spanien.

! Im Fragesatz steht das Verb auf Position 1 oder 2.

Position 1	Position 2		
Woher	*kommst*	*du?*	**W-Frage**
		NOM	
Kommst	*du*	*aus Australien?*	**Ja/Nein-Frage**
	NOM		

§ 26 Der Imperativ-Satz

! Im Imperativ-Satz steht das Verb auf Position 1.

per du — Position 1

Position 1		
Schau	*doch mal ins Wörterbuch!*	
Bestell	*doch eine Gulaschsuppe.*	
Gebt	*mir mal einen Tipp!*	

per Sie — Position 1

Position 1		
Buchstabieren	*Sie*	*bitte!*
Nehmen	*Sie*	*doch eine Gulaschsuppe.*
Geben	*Sie*	*mir mal einen Tipp.*

Die Wörter **doch**, **mal** oder **bitte** machen Imperativ-Sätze höflicher.

§ 27 Die Satzteile

Der deutsche Satz

Subjekt + **1 Verb** + **Ergänzung**
(NOM.-Ergänzung)

Die Kinder	+	*schlafen.*			
NOM		NOM			
Ich	+	*möchte*	+	*einen Orangensaft,*	*bitte.*
NOM		NOM AKK		AKK	
Frau Jünger	+	*kauft*	+	*Tanja*	*Gummibärchen* .
NOM		NOM DAT AKK		DAT	AKK

§ 28 Das Satzgefüge

Der Hauptsatz	*Andrea* ***bestellt*** *einen Salat.*	Das Verb steht auf Position 2.

Wir können Sätze kombinieren:

Hauptsatz + Hauptsatz

Roman bestellt eine Suppe. *Andrea bestellt einen Salat.*

Roman bestellt eine Suppe **und** *Andrea bestellt einen Salat.*

Notizen:

Notizen:

Quellenverzeichnis

Umschlagfoto mit Alexander Aleksandrow, Manuela Dombeck, Anja Jaeger, Kay-Alexander Müller und Lilly Zhu: Arts & Crafts, Dieter Reichler, München

Kursbuch
Seite 1: Foto: Flughafen Frankfurt AG (FAG-Foto S. Rebscher)
Seite 4: Foto links: MHV-Archiv (Dieter Reichler); rechts: MHV-Archiv (Michael Kämpf)
Seite 6: Fotos 1, 3, 4, 6: MHV-Archiv (Dieter Reichler); 2, 5: Deutsche Lufthansa AG, Pressestelle, Köln
Seite 12: Stichwort „Gitarre" links aus: Hueber Wörterbuch Deutsch als Fremdsprache, München 2003; rechts aus: Wahrig Deutsches Wörterbuch, 7. Auflage, Bertelsmann/Wissen Media Verlag, Gütersloh 2002
Seite 13: Foto: MHV-Archiv (Dieter Reichler); Cartoon: Wilfried Poll, München
Seite 27: Cartoon: Wilfried Poll, München
Seite 31: Doppelbett: dormiente GmbH, D-35452 Heuchelheim; Tisch und Stühle: Boconzept, Club 8 GmbH, Düsseldorf; Kombischrank: hülsta, D-48702 Stadtlohn; Teppich: Otto-Versand, Hamburg; alles andere: IKEA Deutschland
Seite 32: Foto Mitte: MHV-Archiv (Dieter Reichler); alles andere IKEA Deutschland
Seite 34: Glastisch, Wandregal, PC-Tisch: hülsta; Sessel: Otto-Versand; alles andere: KARE – Designhaus, München
Seite 35: Abbildungen in der Statistik: Prospektmaterial
Seite 37: Stichwort „Schrank" links aus: Langenscheidt Großwörterbuch Deutsch als Fremdsprache, © Langenscheidt KG, München 2003; rechts aus: Hueber Wörterbuch DaF
Seite 39: Siehe Seite 32
Seite 41: Beide oben: MHV-Archiv (Christine Stephan); unten: MHV-Archiv (Dieter Reichler); Cartoon: Wilfried Poll, München

Seite 55: Cartoon HOGLI: © Vito von Eichborn GmbH & Co Verlag KG, Frankfurt am Main, Januar 1991
Seite 58/59: Foto: MHV-Archiv; alle anderen Abbildungen: Prospektmaterial

Arbeitsbuch
Seite 64: MHV-Archiv (Dieter Reichler)
Seite 72: Wörterbuchausschnitte obere Reihe aus: Hueber Wörterbuch DaF; untere Reihe: Wahrig Deutsches Wörterbuch, 7. Auflage, Bertelsmann/Wissen Media Verlag, Gütersloh 2002
Seite 81: Anja und Oliver Puhl: Eduard von Jan, Frankfurt/Main; die beiden anderen: MHV-Archiv (Klaus Breitfeld, Madrid)
Seite 94: Einbauküche: IKEA Deutschland; alle anderen: Segmüller Promotion-Team, Friedberg; unten: Schreibtisch, Einbauregal: hülsta; Hochbett: IKEA Deutschland; Küchenschrank: Poggenpohl Möbelwerke, Herford; Kleiderschrank: Segmüller
Seite 109: Fotos: MHV-Archiv (Christine Stephan)
Seite 113: Foto oben: MHV-Archiv (Dieter Reichler)

Gerd Pfeiffer, München: Seite 2, 5, 7, 16, 18, 19, 24, 35, 51, 54.

Werner Bönzli, Reichertshausen: Seite 9, 15, 23 (oben), 25, 30, 36, 40, 43, 48, 57, 64, 69, 94 (Stuhl), 96, 99, 101, 114, 115.